Les Éditions du Boréal
4447, rue Saint-Denis
Montréal (Québec) H2J 2L2
www.editionsboreal.qc.ca

LE MONDE, LE LÉZARD ET MOI

DU MÊME AUTEUR

Douces Colères, essais, VLB, 1989.

Trente Artistes dans un train, essai, Art global, 1989.

Chroniques internationales, essais, Boréal, 1991.

Québec, essai, Hermé, 1998 ; Hurtubise HMH, 2000.

Nouvelles Douces Colères, essais, Boréal, 1999.

Un dimanche à la piscine à Kigali, roman, Boréal, 2000 ; coll. « Boréal compact », 2002.

La Seconde Révolution tranquille. Démocratiser la démocratie, essai, Boréal, 2003.

Une belle mort, roman, Boréal, 2005.

Gil Courtemanche

LE MONDE, LE LÉZARD ET MOI

roman

Boréal

Les Éditions du Boréal reconnaissent l'aide financière du gouvernement du Canada par l'entremise du Programme d'aide au développement de l'industrie de l'édition (PADIÉ) pour ses activités d'édition et remercient le Conseil des Arts du Canada pour son soutien financier.

Les Éditions du Boréal sont inscrites au Programme d'aide aux entreprises du livre et de l'édition spécialisée de la SODEC et bénéficient du Programme de crédit d'impôt pour l'édition de livres du gouvernement du Québec.

Illustration de la couverture : Catrin Welz-Stein, *Painting White Walls.*

© Les Éditions du Boréal 2009
© Les Éditions Denoël pour la langue française, à l'exception du Canada
Dépôt légal : 4ᵉ trimestre 2009
Bibliothèque et Archives nationales du Québec

Diffusion au Canada : Dimedia

Catalogage avant publication de Bibliothèque et Archives nationales du Québec et Bibliothèque et Archives Canada

Courtemanche, Gil

    Le monde, le lézard et moi

    ISBN 978-2-7646-0691-9

    I. Titre.

PS8555.O826M66   2009   C843'.6   C2009-942051-1
PS9555.O826M66   2009

À France-Isabelle

1

Bunia m'obsède. Ce n'est qu'une petite ville, un trou, un bled où je n'ai jamais mis les pieds. Personne ne connaît cette ville de l'est du Congo. Mais, comme un étudiant en archéologie sait par cœur l'Acropole ou les pyramides de Chéops sans les avoir jamais visitées, cette ville m'habite. C'est un peu mon univers. J'étudie, j'analyse l'histoire de Bunia depuis trois ans, les meurtres qui s'y sont commis, les alliances, les groupes armés, les criminels qui y ont sévi, ses divisions ethniques, son activité économique, les principaux propriétaires terriens, les réseaux de contrebande.

Je suis un des rares spécialistes de Bunia dans le monde. Je connais la composition des sols, la flore et la faune, l'occupation anarchique de son territoire. Je pourrais donner un cours sur Bunia. Je sais les pistes, comme si je les avais parcourues, qui mènent aux diamants et celles qui conduisent à l'or ou au coltan. Je connais le prix des denrées alimentaires tels qu'on les pratiquait au marché la semaine dernière. J'ai consulté le menu du restaurant de l'Hôtel Bunia où l'on sert du fromage vietnamien. Voilà une étrangeté qui m'intrigue, d'autant que le propriétaire est un réfugié kurde.

Je connais même les prénoms de quelques putes qui se tiennent au bar. Un blogue dit que Madeleine accepte tout. Un autre blogue, celui d'une missionnaire évangéliste américaine, conseille au visiteur d'éviter cet endroit. C'est là que nous vivrons quelques jours. Quel goût peut avoir le fromage vietnamien?

J'y serai mardi, via Nairobi et Entebbe, avec Pascal et Claus. Je suis anxieux, un peu fébrile, comme avant une première rencontre ou un examen, et je tente en vain de me détendre en m'installant au bar de l'hôtel où je vis, pour regarder le match de l'Euro 2008 entre la France et la Hollande. Quelques Hollandais hurlent déjà. Le match n'est même pas commencé.

J'imagine Bunia, je l'invente un peu, mais je suis certain que je ne serai pas surpris. Cent mille habitants, trois hôtels, un restaurant libanais, un autre vaguement italien et un grec. Je connais l'histoire de cette ville mieux que tous ses habitants. Sans y être jamais allé, je sais tout. Ne me reste maintenant qu'à fouler le sol, à humer les odeurs, à manger, à parler avec les gens que j'analyse depuis trois ans. Je n'en avais jamais ressenti le besoin, car mes dossiers sont complets et exhaustifs, mes sources d'information multiples et ici, à la Cour, on ne fait pas dans l'impression et le sentiment, nous analysons scientifiquement. C'est mon boulot, et je l'adore. Il me satisfait pleinement. Jusqu'ici, j'ai toujours préféré découvrir le monde dans les livres, les rapports, les études. Je crois que cette approche permet une indépendance d'esprit, une objectivité qui sont nécessaires aux juristes que nous sommes.

Magnifique but de Van Nistelrooy, 1-0 pour la Hollande. Une tête sublime après un coup de pied de coin. Les Français ne désespèrent pas et me rassurent. Ils attaquent avec intelligence et surtout, ce qui n'est pas leur marque de commerce, avec rage. J'oublie Bunia quelques minutes. Un Hollandais tombe de son banc et il engueule le banc. Je pense à Bunia.

Bunia est une ville qui est tombée de son banc un jour d'ivrognerie nationaliste, ethnique, dit-on dans les rapports des ONG. Le Hollandais se querelle avec son banc et il perd le combat quand les Oranges font 2-0. Ses compagnons hurlent encore plus, l'un d'eux lui verse une pinte de Heineken sur la tête. Plus laid que la laideur, il étouffe, couché comme un cochon ivre sur le plancher, et dans un grognement animal se met à vomir. Tous les clients s'esclaffent, sauf moi, le personnel et deux ou trois Hollandais dignes qui regagnent leur chambre. Il arrive que le comportement des Hollandais heurte le puritanisme de leurs concitoyens.

Je décide de monter dans ma chambre. Je repense à Bunia pendant que la France se fait humilier. Lorsque l'adjoint du procureur m'a annoncé que je partais pour Bunia, j'ai demandé pourquoi. Mes analyses ne satisfaisaient pas ? Elles étaient parfaites et avaient établi les bases de toutes les accusations portées contre Thomas Kabanga, le leader de l'Union patriotique des Congolais. Ce milicien de Bunia, en Ituri, une province du Congo, sera le premier à être jugé par la Cour pénale internationale. Le procès ouvrira une nouvelle page de la justice internationale et il jugera un nouveau crime, l'embrigadement d'enfants soldats. Kabanga n'est pas un élu, plutôt une plaque tournante. Il permet tous les trafics : diamants, or, coltan. Le coltan me fascine. Ce minerai, qu'on récolte comme des pommes de terre en grattant le sol quasiment, ce minerai fait les iPod, les BlackBerry, les téléphones intelligents. Les collines de l'Ituri nous permettent de moins vivre et de communiquer plus.

Kabanga se mêle des barrages douaniers, négocie avec la mafia libanaise. C'est une sorte de facilitateur, d'intermédiaire, de passeur. Il fait le lien avec le Rwanda du président Kagamé qui manipule tout. Les enfants soldats sont à son service. Il faut comprendre l'époque : six armées étrangères dépècent le Congo en ce début de XXIe siècle. Dans l'Ituri, ce sont les Ougandais qui tiennent le haut du pavé. C'est avec eux que Kabanga prend contact. Il devient fournisseur de haricots pour les troupes de Kampala qui l'encouragent à développer le sentiment national des Hema, ethnie à laquelle il appartient, contre les Lendu.

On pensait que j'étais le mieux placé pour jauger la réaction de la population de Bunia au début du procès. Et puis l'adjoint me dit : « Tu n'as pas envie de vérifier si tout ce que tu écris est vrai, vrai en termes concrets ? » Jamais je ne m'étais posé cette question. « Et tu ne penses pas que toucher, sentir, voir, ça peut aider ? » Il avait raison, cet adjoint, qui avait mangé toutes les brochettes de chèvre de l'Afrique, attrapé la malaria à vingt-sept ans et bu plus de Primus en trois ans que j'avais bu de bières durant toute ma vie. Il avait raison, mais nous étions différents. Je fuyais la vie, comme un élève qui ne comprend rien aux mutations mystérieuses de la biologie. Je préférais les mathématiques et les statistiques. Ce qui se mesurait me confortait, mais l'idée de confronter trois ans de réflexion avec la réalité me parut logique.

Je connais peu l'Afrique sur le terrain. Une mission pour une ONG en Côte-d'Ivoire quand j'étais néophyte. Je n'ai jamais vu un Ivoirien verser une chope de bière sur la tête d'un copain. Je n'ai jamais vu un Ivoirien vomir dans un bar et en rire.

Je connais très bien l'Afrique. La preuve, je peux en parler durant des heures et des jours. Mes quelques amis, au cours de repas qui se veulent conviviaux, m'invitent souvent à me taire. Je rédige des rapports, des analyses pointues, en particulier sur la région des Grands Lacs et sur le Darfour. Je n'entretiens pas une vision complaisante et naïve de l'Afrique. Je compile les meurtres et les massacres, étudie des accusations de cannibalisme, planche sur les trafics de diamants, sur le viol généralisé. Je produis des documents sur les finances secrètes des chefs d'État et des leaders de milice, sur leurs liens avec les mafias internationales ou avec des compagnies minières cotées en Bourse à New York ou à Toronto. Des mémos sur le trafic du coltan et de l'or. Je compile des rapports détaillés de Médecins sans frontières qui décrivent les agressions sexuelles et les viols dans les territoires qui me concernent. J'évolue d'une manière permanente dans une sorte de violence écrite, documentée, photographiée souvent, mais l'acte le plus violent dont j'ai été témoin est le vomissement de ce Hollandais au bar que je fréquente depuis trois ans.

Je m'appelle Claude Tremblay et, depuis trois ans, je suis analyste politique dans le cabinet du procureur en chef de la Cour pénale internationale à La Haye.

Tous mes collègues louent des appartements à La Haye ou à Amsterdam. J'ai choisi cet hôtel dans cette banlieue triste, Voorburg, à quelques minutes de La Haye. Je me demande parfois si une vie normale, amour, enfants, loisirs, peut se conjuguer avec une tâche exceptionnelle. Quand on a la responsabilité de débusquer, d'émettre des mandats pour arrêter et faire condamner des criminels de guerre, des monstres, des hommes qui défient toutes les lois et les conventions internationales, peut-on s'accorder le droit de vivre une vie normale, d'être distrait de sa tâche? Je ne le pense pas, même si je respecte et envie parfois ceux qui préfèrent une femme, un homme, des enfants et qui ferment leur portable quand ils quittent l'horrible tour blanche dans laquelle réside la Cour. Je ne crois pas être plus pur qu'eux, car ma solitude me convient et m'arrange. Pour accomplir mon travail, j'ai choisi de vivre autrement que mes collègues. Je suis en paix avec ma solitude qui me permet de ne penser qu'aux victimes de tous les crimes que je décris avec une minutie qui parfois horrifie le procureur.

— Je n'ai pas besoin de ces détails horribles.

— Oui, monsieur le procureur, ce sont les plus importants.

— Mais le cigare allumé dans l'anus, je n'ai pas besoin de savoir.

— Oui.

— Et probablement que vous avez une photo !

— Oui, je peux vous la montrer.

Je vis à l'Hôtel Mövenpick, un Holiday Inn suisse, fréquenté par des voyageurs de commerce, des comptables et parfois des consultants de la Cour. Le personnel ne s'intéresse pas à moi, les serveuses lourdes et impassibles esquissent parfois un sourire. Depuis que je vis en Hollande, j'ai oublié les raffinements culinaires auxquels mes parents m'ont initié. L'approximation helvético-hollandaise de la gastronomie ne me dérange pas, tout comme les pâtes du Il Pomodoro, une pizzeria où les propriétaires italiens d'origine font montre d'une plus grande gentillesse que les Hollandais. Nous en convenons ensemble, certains soirs où je me laisse aller à un verre de vin après une *pizza di Parma* qui est la meilleure pizza que j'aie mangée dans ma vie. Nathalie, mon ex-femme, a ri de moi quand je lui ai fait parvenir un rare courriel pour lui décrire la recette. En fait, elle ne s'est pas moquée de la pizza, mais plutôt de mon élan d'enthousiasme. « Il n'y a rien de plus passionnant dans ta vie qu'une pizza hollandaise ? »

Nathalie n'a jamais compris que je sois habité par cette passion pour la justice, qui a grandement contribué à notre séparation. Je ne sentais donc pas le besoin de répondre et d'insister encore sur ce qui l'avait rendue malheureuse et m'avait rendu solitaire, enfermé dans la même chambre depuis trois ans, dans une banlieue médiocre d'une ville médiocre.

Quatre-un pour la Hollande. J'ai un petit pincement au cœur. J'aime bien la France, surtout la Bretagne, où je me permets une fois tous les trois mois une distraction de mon travail d'analyste de l'horreur. Durant ces week-ends, je ne fais rien, je ne visite aucun musée. Je mange ce que je mangeais à la maison de mes parents, rognons, bavette, ris de veau. Cela me fait de doux souvenirs dépourvus toutefois de nostalgie. Je bois légèrement du bon vin, j'envie l'apparente insouciance des gens, mais je m'efforce de ne pas oublier mon travail. Quand je rentre à Voorburg, je me sens coupable d'une sorte de relâchement à l'égard de ma passion, comme si j'avais trompé une femme plus qu'aimée, une femme idolâtrée.

Je tente rarement d'expliquer ma passion pour la justice. Elle me semble irrationnelle et naïve, celle d'un adolescent qui croit en un monde meilleur en regardant des images violentes à la télévision plutôt que les clips des chansons au palmarès. J'adore la musique, presque toutes les musiques. La musique me transporte, elle me rend plus grand que je ne suis. Je n'ai pas une forte opinion de moi-même. Je ne me trouve ni laid ni beau, pas plus intelligent que la moyenne. J'ai eu un jour un petit succès avec une jeune fille qui devint brièvement ma femme jusqu'à ce que mon travail prenne trop de place dans notre vie. Je suis seul, mais pas beaucoup plus que mes amis qui sont en couple. Cela me convient et, je crois, me permet de mieux travailler, car rien ne me distrait de la violence et de l'inhumanité dont je suis pour la Cour une sorte de chroniqueur. Mon travail, si je m'applique, si je monte un dossier exemplaire et détaillé, peut entraîner une enquête sur le terrain et mener un criminel de guerre devant la justice. Ce n'est pas rien pour un jeune Montréalais de trente-cinq ans qui ne connaissait du monde, à onze ans, que les cartes postales de ses parents en vacances à Paris, un globe terrestre pour avoir remporté le premier prix de géographie, les noms bizarres de quelques pays et un émigrant et ses deux enfants qui fréquentaient la même école que moi. Je savais qu'ils venaient d'Afrique (les Noirs viennent tous d'Afrique), mais on se parlait peu. Ce n'était pas du racisme, simplement de l'indifférence et un peu de méfiance.

J'étais un peu timide, plus que maintenant, je n'aimais pas trop parler de peur de dire une bêtise et d'être repris. Je le sais maintenant, je craignais le rejet et la critique. Le confort des normes et des règles édictées par mes parents me protégeait et je devenais particulièrement mal à l'aise quand un prof acquis à la pédagogie de la libération, un prof barbu et mal habillé comme on ne permet pas aux enfants de se vêtir, demandait d'improviser sur un thème de notre « vécu quotidien ».

— Claude, disons que ta mère te gifle pour une mauvaise raison, que tu n'es pas coupable de la faute qu'elle te reproche. Je fais la mère et tu réagis.

— Ma mère ne me gifle jamais.

— Mais imaginons quelque chose d'impossible, que ta mère te gifle et te traite de menteur.

— Monsieur, c'est trop impossible pour que je puisse l'imaginer.

Maman me demanda l'air courroucé comment il se faisait que j'avais de mauvaises notes en expression orale alors que, selon elle, je m'exprimais mieux que la majorité des enfants. Je lui racontai l'improvisation et elle me fit sur le front un baiser plus long et chaud que d'habitude. Ce baiser confirma que j'avais raison de respecter les règles et les codes que traçaient pour moi, pour mon avenir, les gens que j'aimais et que je respectais.

J'avais onze ans quand le désordre du monde s'imprima dans mon esprit aux côtés des codes moraux et familiaux qu'on m'avait transmis et que je respectais sans m'y sentir contraint.

Mes parents avaient choisi de me protéger contre la méchanceté du monde. Ils évitaient toute discussion politique devant moi et fermaient la télévision quand le journal télévisé commençait. Je ne connaissais donc que des bribes de ce que pouvaient être la mafia, les guerres, les conflits et les catastrophes naturelles. Je savais vaguement que de tels phénomènes existaient, mais il me semblait qu'ils ne se manifestaient jamais dans mon univers tranquille et que j'en étais protégé à jamais jusqu'à ce que les enseignants fassent grève et qu'ils se promènent avec des pancartes devant l'entrée de l'école pour en interdire l'accès.

Pas facile d'expliquer à un enfant le sens de « Fini l'exploitation » ou de « Nous refusons l'esclavage ». Maman se contenta de dire que tout cela était très compliqué et que je comprendrais plus tard, mais que les enseignants étaient des gens bien qu'il fallait respecter. Papa, qui était fonctionnaire, acquiesça sans me dire que lui aussi avait fait une longue grève illégale. Après quelques jours, je me retrouvai en mode vacances : coucher tard et lever tard.

Le soir du 6 décembre 1984, j'étais seul dans le salon lisant *Robinson Crusoé* pendant que mes parents s'affairaient à protéger plantes et arbustes qui ornaient l'avant de la maison contre l'hiver qui s'annonçait. J'ouvris la télévision.

On entendait des cris sourds, des pleurs et des aboiements, des râles et des sons que je n'avais jamais entendus. Une hutte ronde comme j'avais vu dans un livre de géographie. Autour, par centaines, de fragiles abris construits avec quelques pieux en triangle, recouverts de toiles ou de peaux, je ne pouvais savoir. Dans chaque tente ouverte sur le soleil qui plombe, des Noirs prosternés comme en prière. Ils tiennent de tout-petits enfants dans leurs bras. La caméra pénètre dans la hutte et fait un mouvement circulaire. Une dizaine d'enfants nus sont couchés à même le sol. Je n'entends pas les paroles du journaliste, je regarde abasourdi des corps minces comme des ficelles, les côtes comme des arêtes de poisson, les joues comme des trous percés dans le visage et des yeux noirs qui fixent un point que je ne parviens pas à deviner. J'imagine que c'est le soleil. Des mains qui pendent au bout de longs bras maigres saisissent un enfant et le déposent dans un tronc de bois creusé empli d'eau. Des mains lavent l'enfant qui regarde toujours le soleil, des mains, elles sont tellement maigres, étendent l'enfant sur une couverture posée sur un lit de branches et de feuilles. Je ferme les yeux, mes oreilles s'ouvrent : « Nous sommes à cinquante-quatre morts et il n'est pas encore midi à Bati. » Ils ne dorment pas ces enfants, ils sont morts. Comment, pourquoi ? C'est où, Bati ? J'ai fermé la télévision, me suis précipité dans ma chambre. J'avais vu des enfants morts de faim dans un pays africain. C'est tout ce que j'avais compris, mais pour ma modeste connaissance du monde, c'était trop. Je venais de changer de planète. Mes parents me décrivaient un monde organisé, policé, fait de règles et de codes tous fondés sur le respect et la civilité. Dans ce monde, pas un enfant ne mourait de faim. Dans celui que j'avais découvert, il semblait que la mort pour les enfants était plutôt normale. Le journaliste avait même mentionné un Ismaël qui avait onze ans comme moi, un moi de onze ans mort de faim. En tentant de m'endormir, je cherchais des mots, des phrases pour expliquer à mes parents qu'ils auraient dû me parler de cette autre planète. Je ne trouvai que : « Ismaël a onze ans comme moi et il est mort de faim. » Je trouvai aussi dans un trou d'insomnie : « C'est où, Bati ? » Et dans un autre éveil fébrile : « Est-ce que vous savez ce qui se passe dans le monde qui n'est pas ici ? » J'apprenais l'insomnie. Je quittais l'adolescence avant même de l'avoir vécue.

Le lendemain matin, je me suis souvenu de « Ismaël a onze ans comme moi et il est mort de faim » et me suis présenté à table dans un état lamentable, prononçant cette phrase.

Papa avait déposé son journal sur la table, maman qui préparait des œufs vint s'asseoir. De leur silence interrogateur, de leur regard posé sur moi comme celui des profs qui s'apprêtent à réprimander, je sentis qu'ils avaient compris qu'un événement important s'était produit dans ma vie. Ils attendaient pourtant que je poursuive sans me presser. Je bredouillai pêle-mêle : les cinquante enfants, les corps qu'on lavait et qu'on couchait sur des branches d'eucalyptrus. « Eucalyptus », me reprit calmement papa, attendant la suite. Il n'y avait pas de suite. Maman servit les œufs. Papa reprit la lecture de son journal.

Au bout de dix jours de questions sur l'Afrique et la grève des profs, j'appris qu'une famine sévissait en Éthiopie, que probablement un ou deux millions de personnes étaient mortes de faim, qu'on ne savait pas pourquoi, que c'était sûrement la sécheresse, que oui, nous étions riches, mais que les enseignants croyaient qu'ils étaient mal payés, et que nous ne pouvions rien faire pour les Éthiopiens, ni pour les enseignants. Nous, c'étaient papa, maman et moi. Au bout de dix jours de questions insistantes, mes parents ayant épuisé toutes leurs réponses qui n'en étaient pas vraiment, me donnèrent le droit au journal télévisé, espérant probablement se libérer de mon inquisition permanente et dorénavant obsessive. « Pourquoi l'Afrique est-elle pauvre et pourquoi sommes-nous riches ? » Silence. « Pourquoi on n'emprisonne pas les riches qui pourraient sauver les pauvres et qui ne le font pas ? »

Le premier jour d'école après la fin de la grève, j'avais demandé au professeur s'il était pauvre. Non, bien sûr, qu'il avait répondu, mais la pauvreté est relative. « Alors pourquoi vous avez fait la grève ? » Il avait répondu que c'était pour la qualité de l'éducation. M. Nantel continua de nous endormir de sa voix nasillarde et changea de voiture le mois suivant. Durant le reste de l'année, il parvint à me dégoûter des mathématiques. J'oubliai les sciences. Je ferais quelque chose de plus humain. Quoi ? Je n'en savais rien. Avant de choisir, je devais mieux connaître le monde.

2

Je sais maintenant que nos vies évoluent parfois comme les grandes marées d'été en Bretagne. Un matin qui est le premier jour d'une phase de la vie, la baie de Paimpol est vide, asséchée comme si la mer n'avait jamais existé. Seul, en son milieu, un mince filet rappelle qu'elle fut déjà baie et que la mer la connaissait. Puis, l'eau, comme un peintre qui travaille par couches successives, couvre le sable et les galets d'un bleu teinté par le sable qu'il ne fait que lécher. Et ainsi de suite, durant des jours, ce qui pour une baie vidée de son eau vaut bien des années d'homme. L'eau prend sa place. Au début de la grande marée, les huîtres alignées dans leurs treillis posés sur le sable de la baie souffrent du soleil et du manque d'eau. Leur soif n'en devient que plus grande et, au fur et à mesure que l'eau se fait plus généreuse, elles se gorgent goulûment. On dit, mais personne ne le croit, que les huîtres de grande marée sont les plus charnues, que leur goût salé est raffiné et que leur teneur en iode est supérieure à celle des huîtres de petite marée. Quant à la baie, au bout de deux semaines, elle se réveille si pleine d'eau que celle-ci frôle parfois des rochers jamais touchés par la mer. Depuis qu'on me laisse découvrir le monde, je suis comme un galet ou une huître que les grandes marées élèvent et nourrissent.

L'été de mes onze ans fut studieux, au grand dam de mes parents qui me souhaitaient, contrairement à eux, actif et sportif. J'adorais le sport, surtout le tennis et le hockey, et j'excellais dans les deux disciplines. Paradoxalement, mes parents, tout en m'encourageant à pratiquer des sports, dénigraient les athlètes professionnels et leurs cohortes amorphes de partisans. Un jour, mon père avait dit : « Le sport, c'est le nouvel opium du peuple. » Il parlait du sport professionnel auquel je ne songeais pas du tout, mais de toute évidence, il ne parvenait pas à réconcilier son souhait de me voir musclé et agile avec la crainte que je n'y prenne goût et que je ne désire poursuivre dans la voie du sport. Sans le savoir, mes parents m'avaient orienté autrement.

Après le droit au journal télévisé, j'acquis le droit au journal de mon père et, pour mon anniversaire, à quelques bouquins qui n'étaient pas des romans d'aventures. Essentiellement des atlas commentés, un ouvrage sur la culture amérindienne et un *État du monde 1985*.

Je ne savais pas qu'existaient autant de pays. On s'était contenté de me dire le nombre de continents. Tous ces textes étaient beaucoup trop compliqués. Cela parlait de PIB et de taux de croissance, de types de régimes, de taux de scolarisation. Je décidai de commencer par le commencement. Apprendre le nom des pays, continent par continent, ainsi que le nom des capitales. Puis, la population de chaque pays, et enfin, je me demandai qui était pauvre et qui était riche. Pour ce qui est de l'Éthiopie, j'avais lu que la croissance avait été de 8 % en 1984. Alors, pourquoi j'avais vu un pareil à moi mourir de faim ? Papa savait certainement. « Je t'expliquerai un jour, Claude. » Je n'insistais pas, mais son refus de me répondre m'intriguait, d'autant qu'il dévorait les journaux, ne cessait de lire des livres qui traitaient essentiellement de politique et que je le surprenais parfois à affirmer à maman que le monde était pourri.

Nous habitions un quartier confortable et aisé. Chaque famille possédait sa petite cour. Celles de nos voisins d'origine grecque, italienne ou portugaise étaient généralement asphaltées. Les francophones en avaient fait des jardins ornementés de toutes les fleurs convenues, les géraniums, les pensées, parfois quelques fuchsias. Nos voisins faisaient pousser des tomates et des concombres sur la parcelle qui séparait les maisons du trottoir. Nous y avions planté des fougères et des plantes à larges feuilles. Ma mère s'était inspirée du jardin japonais traditionnel, disait-elle. Mais tous ces voisins, peu importe leur rapport avec le concombre ou le fuchsia, s'entendaient merveilleusement. Ils discutaient sur le trottoir, s'invitaient mutuellement pour prendre un pot ou, dans le cas de notre voisine italienne, pour déguster ses premières tomates. Quand l'été se pointait, la dynamique des rencontres changeait et aussi les effluves que chaque maison exhalait. Les barbecues sortaient et l'on s'invitait. Une odeur primitive enveloppait les environs, celle de la viande grillée, du gras qui flambe, des légumes qui noircissent au-dessus de la flamme trop vive, un parfum sauvage de campagne ou de savane, des émanations étrangères. Papa, s'il trouvait bourgeois le rituel du barbecue, ne se faisait jamais prier pour accepter une invitation. Avec les Grecs, il discutait durant des heures des colonels, avec les Portugais d'une révolution rose, avec les Italiens des Brigades rouges. Il semblait tout connaître du monde, en tout cas de ces pays, et ne souriait jamais durant ces longues conversations. Mâchouillant sa saucisse, il conservait un air sombre et préoccupé ou déposait sa brochette à peine entamée pour se lancer dans une longue tirade. J'avais alors l'impression qu'il détenait des codes et des clés, des outils d'explication du monde qu'il me refusait.

Quand maman lui annonça qu'elle avait acheté un barbecue, « un barbecue ordinaire », et qu'il était temps que nous invitions nos voisins, il soupira : « Nous sommes devenus si bourgeois que ça. Une soirée barbecue. » Ce n'était pas une de ces machines au gaz qui apparaissaient de plus en plus dans les cours du quartier, mais une sorte de vasque noire dans laquelle on dépose du véritable charbon de bois ou des briquettes et qu'on peine pour allumer.

— Pourquoi c'est pas bien un barbecue et c'est quoi « bourgeois » ?

— Je t'expliquerai. Nous n'avons pas toujours

vécu comme ça, ta mère et moi. Bourgeois... c'est quelqu'un qui est satisfait de lui et qui veut défendre sa petite place dans la société. C'est quelqu'un qui se conforme aux codes de la société.

Je fus rassuré partiellement. Je n'étais pas satisfait de moi et je n'avais aucune place dans la société. Nous respections toutefois scrupuleusement les codes.

J'acquérais un esprit méthodique qui ne tenait rien pour acquis, même pas, je devrais dire même plus, la parole de mon père. Quand j'ai ouvert le dictionnaire pour chercher « bourgeois », j'ai su que je devenais un peu moi-même en ne me satisfaisant pas des propos évasifs de mon père. La revendication de la télévision avait été mon premier geste de révolte, la recherche dans le dictionnaire, le début de mon indépendance.

Ces moments peuvent sembler anodins. Un enfant qui s'affranchit méthodiquement sans colère ni rejet et qui pose des fondations. Voilà à quoi je pense avec un soupçon de nostalgie en regardant ce feuilleton français insipide, dans un hôtel suisse aseptisé planté dans une banlieue moche d'une ville monotone. J'entends le train de 23 h 59 qui entre en gare. Ma fenêtre est toujours ouverte et le passage des trains m'indique l'heure. Je connais les horaires de tous les trains vers Rotterdam ou Gouda, même ceux qui ne s'arrêtent pas à Voorburg. Celui de 23 h 59 vient d'Utrecht.

Parfois, même pour ceux qui choisissent la solitude, celle-ci est insupportable. Ils la comblent imparfaitement en lançant des bouteilles à la mer. L'homme perdu dispose dorénavant du courriel pour exprimer rapidement son désarroi. Alors on écrit salut, comment ça va, je n'ai pas de nouvelles de toi depuis longtemps, comment va mon neveu. Les gens qui reçoivent ces bouteilles presque vides se surprennent du retour dans leur vie de l'homme si totalement absent. Parfois, ils répondent. J'ai envoyé quelques messages et j'attends une réponse, n'importe laquelle, pour m'assurer que je ne suis pas absolument seul. Il y a un nouveau message.

« La mission à Bunia est annulée pour des raisons de sécurité. On se reparle demain. »

Tous ces vaccins pour rien et encore Voorburg.

Un autre message, une bouteille à la mer qui répond. C'est Nathalie, mon ex. « Faut vraiment que tu te sentes seul pour m'écrire. Oui, je vais bien, oui, je suis heureuse en amour et, tu ne le savais pas, je suis enceinte. Nous venons d'emménager dans un joli appartement dans le même quartier que celui de tes parents. Un petit jardin, un parasol, des chaises longues, des voisins sympathiques. Est-ce que tu crois encore qu'on peut changer le monde ? J'espère que tu n'es pas trop malheureux. »

Non, je ne suis pas trop malheureux. J'ai choisi cette vie et, en partie grâce à mon travail, Thomas Kabanga, le criminel de Bunia, sera jugé et condamné bientôt. Des milliers de victimes inconnues et sans voix, sans moyens pour se défendre, obtiendront justice. Ce n'est pas rien. Je l'aimais bien, Nathalie, mais moi je parcourais le monde dans les livres, et elle préférait les terrasses et les copains qui parlaient de tout et de rien. Je préférais parler de tout, jamais de rien.

3

« Bourgeois ». À l'origine « qui habitait un bourg », donc par opposition à paysan et à pauvre. Plus tard, « notable », « commerçant », « fortuné » sans faire partie de l'aristocratie. Pour un certain Marx que je ne connaissais pas et qui a inventé le communisme, le bourgeois exploite la population et constitue un frein à la révolution menée par le prolétariat.

À l'adolescence, je me suis un peu penché sur Marx et je parvins à comprendre l'exploitation de l'homme par l'homme qui était absolue dans la Russie de l'époque de Marx. Je trébuchai cependant sur le centralisme démocratique et la plus-value.

— Papa, est-ce que l'homme exploite encore l'homme ? C'est quoi le centralisme démocratique et pourquoi Marx parlait de la liberté des travailleurs et que, dans les pays communistes, ils ne sont pas libres ?

Il baissait son journal *Le Devoir*, car jamais il n'aurait lu *La Presse* ou *Le Journal de Montréal*.

— Tu ne pourrais pas t'intéresser à des choses de ton âge ?

— Pourquoi il y a plein de livres de Marx et de Lénine dans ta bibliothèque ?

— C'était pour mes études.

Et il se replongeait dans son *Devoir* pendant que maman lui reprochait gentiment de ne pas satisfaire la curiosité intellectuelle de son fils.

C'étaient quoi les choses de mon âge? Les études, certes, mais j'avais l'impression de ne rien apprendre sur le monde et sur la vie.

Le sport, bien sûr. Je pratiquais le hockey et le tennis avec une sorte de passion méthodique, à la recherche de tous les moyens d'améliorer non pas mon succès, mais plutôt mes qualités techniques, le raffinement de mon jeu, son inventivité. Même si je ne marquais pas le point, j'étais heureux d'un revers brossé, un coup difficile, qui dépassait la ligne de fond de quelques centimètres. Mon adversaire prenait le point, mais moi, je savais que j'avais exécuté parfaitement le mouvement. La victoire m'intéressait, mais elle me paraissait toujours secondaire par rapport à la qualité de mon jeu. D'ailleurs, les entraîneurs me reprochaient de ne pas avoir la rage de vaincre. « T'es un joueur parfait, mais t'as pas l'instinct du tueur. »

Je persistais malgré tout, travaillant mes coups brossés et mes coups droits coupés sur le mur arrière de la maison. J'avais un filet de gardien de but que j'avais fermé avec une pièce de contreplaqué dans laquelle j'avais percé quatre trous dans les coins du filet. J'avais horreur du *slap shot* tellement imprécis, un tir teinté pour moi d'une certaine vulgarité et d'une énorme prétention. Je ne travaillais que le tir du poignet et le revers.

Mon approche méthodique du sport porta ses

fruits. Je n'avais peut-être pas l'instinct du tueur, mais autant au tennis qu'au hockey, je devins un joueur de qualité. Pas le meilleur, car le meilleur possédait en plus de la technique l'instinct du tueur. Mais de bien accomplir mon travail me satisfaisait pleinement et me rendait heureux.

Les choses de mon âge? Les jeux vidéo qui faisaient leur apparition. C'était interdit à la maison. La première cigarette? Ce fut à quinze ans. Depuis, je fume. La première bière vint avec la première cigarette et je n'abusais ni de l'une ni de l'autre. J'étais de plus en plus obsédé par la pauvreté, l'injustice, les inégalités, la politique, pas celle de chez moi, mais celle d'ailleurs. Je demeurais un adolescent plutôt ordinaire.

Les filles, ah oui, les filles. Papa s'inquiétait beaucoup du fait que je n'avais pas de copine. Il ne cessait de plaisanter sur le sexe en m'interrogeant sur mes expériences qui se résumaient à aucune. Maman rougissait et il persistait. « Ne me dis pas qu'à quinze ans tu n'as pas encore embrassé une fille et que tu n'as pas encore rêvé de faire l'amour, que cela ne t'empêche pas de dormir et que tu n'as pas envie, tu me comprends, de te soulager. » Maman disait : « Tu exagères. » Si cela pouvait lui faire plaisir, je voulais bien qu'il se moque, lui qui parlait si peu des sujets qui m'intéressaient et qui ne semblait pas jouir beaucoup de la vie. Je répondais franchement, sans me sentir diminué par mon inexpérience sexuelle et mon peu d'attrait pour la chose. Ce n'est pas complètement vrai. Je fréquentais assidûment les dictionnaires pour mes recherches sur la pauvreté dans le monde, mais une fois découverte la réponse, je tournais les pages, m'arrêtais sur des photos, lisais des biographies d'hommes célèbres qui m'étaient inconnus. Je prenais des notes et inscrivais sur mon calepin des titres de livres à lire, et parfois je m'arrêtais longuement devant des reproductions de tableaux anciens. Je me souviens de la Vénus de Botticelli et d'un nu d'Ingres. La forme des seins, des hanches, des fesses m'enchantait. Tellement de courbes douces et harmonieuses. Je n'avais jamais imaginé que le corps de la femme fût aussi beau.

À écouter mon père me provoquer, je me convainquais qu'il me suffisait de voir la beauté, et j'avoue que je regardais maman en essayant d'imaginer ses seins et ses fesses. Jamais je ne pensais à toucher ou à caresser. La télévision, la cour de l'école, les conversations de vestiaire entre copains après les matchs m'avaient amplement informé sur les pratiques et les techniques. Mais, dans cet univers aussi, je demeurais méthodique. Regarder, admirer mènerait peut-être à l'envie de toucher et à toutes ces autres choses un peu mystérieuses comme le baiser avec la langue, les lamentations langoureuses de la femme, les caresses sur les seins et puis le sexe et enfin la pénétration. Je savais tout, mais il me fallait commencer par regarder pour ne pas sauter une seule étape du désir. J'avais lu qu'il n'existait pas d'amour sans désir. Je souhaitais l'amour, il me fallait donc passer par le désir.

4

Quelques années plus tard, au collège, je fis la connaissance de Bernard Lafontaine. C'était un prof hors de l'ordinaire. La mode, à la fin des années quatre-vingt, était au prof décontracté qui insistait pour qu'on le tutoie, qui s'habillait et parlait aussi mal que ses élèves. M. Lafontaine, il insistait pour qu'on l'appelle Monsieur, portait veston et cravate, les cheveux courts et s'exprimait en un français impeccable. Il ne pardonnait aucune incartade disciplinaire et parlait durant quarante-cinq minutes. « Non, je n'ai pas de notes de cours. C'est à vous de prendre des notes. » Il enseignait la morale, un cours que tous les élèves trouvaient chiant, mais qui me passionnait. Comment distinguer le bien du mal, le juste de l'injuste, la culpabilité de la responsabilité ? Que sont les droits et les devoirs ? Quel rapport existe-t-il entre les deux ? Pas besoin de préciser que M. Lafontaine était le prof le plus détesté du collège. Il me semblait qu'il en était conscient mais que cela l'indifférait. Pour cette indifférence, je l'admirais probablement parce qu'elle ressemblait un peu à la mienne à l'égard de ma réputation auprès des filles et aussi de la majorité de mes camarades. J'aurais souhaité qu'on m'aime, mais cela ne faisait pas partie de mes priorités. Je faisais ce que je devais faire comme je l'entendais sans heurter personne.

Les questions qu'il posait en développant les thèses opposées et en se refusant systématiquement à laisser poindre le moindre penchant personnel me passionnaient. Quand je rédigeais un texte sur la responsabilité individuelle dans la société, je passais des heures à me poser des questions sur mon comportement avec mes parents, mes camarades, dans ma rue, chez les commerçants.

Oui, j'étais responsable de chacun de mes gestes et tous pouvaient bouleverser le fragile équilibre qui nous permettait de vivre collectivement. Mais j'expliquais dans mon texte que ce sens de la responsabilité ne devait pas étouffer mon individualité et mes principes, que l'indignation personnelle pouvait aussi exister et se manifester.

Pour ce texte, M. Lafontaine me donna une note presque parfaite et me proposa de répondre à la question suivante : « Jusqu'où peut-on aller pour changer une société injuste ? »

Papa parlait de la nouvelle terrasse avec maman. Il souhaitait une table en véritable teck. « Nous avons quand même les moyens, Rosanne. » Maman trouvait cela inutile et surfait, mais se plia à l'argument final : « Je ne me suis pas fait chier durant quinze ans à gagner de l'argent dans un job de con pour ne pas avoir le droit de me payer du teck quand ça me le dit. Merde. »

— Quand on a acheté le barbecue tu m'as

demandé si on était devenus aussi bourgeois. Alors le teck pour une table extérieure…

— Oui, bordel, on est bourgeois, on a de l'argent. Si ça te dérange, tu peux aller faire la révolution.

Maman, qui de toute évidence n'avait pas envie de faire la révolution même avec un petit « r », souffla « D'accord » et retourna à son osso buco.

— Rosanne, je descends à la cave, que préfères-tu, un barolo ou un montepulciano ?

Je ne connaissais rien au vin. Papa m'en versait régulièrement, m'expliquait les origines, les terroirs, les bouquets, les arômes, les épices. Il connaissait bien le vin et organisait avec des amis ou des collègues des dégustations. Ils discutaient de chaque vin aussi longtemps que moi je parlais de la pauvreté dans le monde quand je rencontrais une fille. Je préférais le coca.

Ce fut un barolo, dont papa m'expliqua les grandes qualités que je ne parvins pas à percevoir. Le jarret de veau, par contre, était un chef-d'œuvre.

— Papa, jusqu'où peut-on aller pour changer une société injuste ?

— Tu parles de quelle société ?

— N'importe laquelle, une société injuste.

— Mais l'injustice, c'est une notion relative.

— Non, l'injustice, c'est l'injustice.

Je sais maintenant pourquoi, mais en ce jour d'osso buco et de barolo, je ne compris pas pourquoi papa se leva de table et dit : « Rosanne, je n'ai pas faim et j'ai besoin de voir des amis. » Je regagnai ma chambre, décidé à répondre à la question, et je

constatai plus tard que maman avait terminé la bouteille de barolo car elle était allongée sur le divan dans
le salon, un verre vide dans la main, et ronflait. Je ne
savais pas que les femmes ronflaient.

Pendant que maman buvait seule, j'avais écrit que
la lutte contre l'injustice ne pouvait pas avoir de limite,
que toutes les injustices étaient égales et, me rappelant
une phrase de Martin Luther King, j'ajoutai que c'était
le devoir de tout citoyen de lutter contre une loi injuste.
J'aimais bien ce que j'écrivais et je conclus en disant que
si la violence constituait le seul moyen de lutter contre
l'injustice, il ne fallait pas hésiter à utiliser l'action violente ou le terrorisme. Je me couchai, grisé par les mots
comme si j'avais bu la bouteille de barolo. La violence,
qu'est-ce que j'en savais ? Je ne m'étais jamais bagarré,
j'avais reçu quelques gifles, des mises en échec un peu
vicieuses au hockey. Quant au terrorisme, je n'avais pas
encore compris que le mot qu'il contenait en son cœur
était « terreur ». Je ne parvenais pas à dormir. En fait, je
dégrisais de mes mots. Je ne pensais pas sérieusement
qu'il fallait utiliser la violence et planter des bombes
parce que les barèmes de l'aide sociale étaient injustes.
Je me levai en sueur et repris ma conclusion. Je laissai
tomber le mot terrorisme et ne conservai que le recours
à l'action violente, mais seulement quand toutes les
autres voies, la lutte politique, la désobéissance civile,
avaient échoué. Je pus dormir profondément.

Papa ne voulait pas lire ce que j'avais écrit la veille.
Il avait la gueule de bois, mais cela ne l'empêchait
pas de lire chaque ligne de son journal et de gro-

gner régulièrement ou de pousser entre deux gorgées
« Quel con ».

— Je peux te résumer, j'aimerais bien avoir ton
opinion.

— Je t'ai répété mille fois que la politique ne
m'intéresse plus, tous des menteurs, des cons. Faut
apprendre à se débrouiller malgré eux, les marchands
d'idées et de slogans.

Papa me dissimulait quelque chose, j'en étais
absolument certain, mais je n'étais pas du genre à provoquer. Comment pouvait-il lire *Le Devoir* qui ne parlait que de politique et d'économie et ne pas s'y intéresser ? Et pourquoi, dans une boîte du sous-sol, j'avais
trouvé le *Manifeste du parti communiste, La Maladie
infantile du communisme,* des ouvrages de Bakounine,
des poèmes de Rosa Luxemburg et quelques numéros
d'un journal intitulé *En lutte* ? Mais je me satisfaisais en
gros d'une explication qui me réconfortait car j'aimais
ma famille. Mes parents me protégeaient sans doute des
injustices et de la cruauté du monde. Je crois que j'aurais préféré les découvrir petit à petit en leur compa-
gnie, profitant de leur expérience de la vie et de leur
sagesse, mais je faisais le parcours seul à ma manière,
conscient que parfois cela pouvait me mener à penser,
ne serait-ce que durant quelques heures, que le terrorisme pouvait se justifier dans une société comme la
nôtre.

Cependant, son refus de s'intéresser à tout ce qui
me passionnait distendait graduellement les liens que
nous entretenions. Car jusque-là papa avait été un père

idéal. Toujours disponible, jamais complaisant, sévère mais juste. Durant mon méthodique et monotone apprentissage des techniques du hockey et du tennis, il avait fait le gardien de but, le défenseur ou l'ailier adverse sur la patinoire près de chez nous. Comme un *boy* dans un club de riches, il s'installait près du filet avec un seau de balles et il me les lançait. Il ne manquait jamais un match, ne ratait aucune réunion de parents et m'avait inculqué le culte de la langue correcte, ce qui me permettait, à travers les livres, de découvrir et de comprendre dans quel monde je vivais.

C'est ainsi que, comme une grande marée lente mais sourde et puissante, le mot père dans ma tête remplaça celui de papa. Les contours de nos existences relatives s'étaient progressivement modifiés. Alors que nous vivions ensemble auparavant, je vivais dorénavant chez mon père qui avait sa vie pendant que j'inventais la mienne. Le respect et l'affection remplacent alors l'admiration et l'amour. On pourrait croire que cela est déchirant quand on le lit, mais ce n'est pas ainsi que cela se produit. Cela se fait sans heurt, sans soubresaut. L'eau qui part du plus lointain du monde envahit comme secrètement, par vaguelettes successives. La baie ne sait pas le sort que l'eau lui fait et elle s'éveille différente. Comme une baie, je ne me posais aucune question sur ma nouvelle nature d'enfant sans papa. Mais par respect et affection, je continuai à l'appeler papa.

L'admiration que j'avais nourrie pour mon père, je la reportais dorénavant sur M. Lafontaine qui prenait au sérieux toutes mes questions, même les plus idiotes, et qui me proposait de nouveaux défis intellectuels qui requéraient de ma part des jours et des jours de réflexion.

— Tremblay, j'aimerais que vous réfléchissiez au problème suivant : quel est pour un citoyen le rapport entre les droits et la responsabilité individuelle ?

En rentrant à la maison, je me précipitai dans ma chambre et j'abordai la question avec méthode. Trois feuilles de papier. À gauche les droits, au centre le citoyen, à droite les responsabilités.

Mon père entra. Il avait invité un couple d'amis ainsi que leur fille qui avait mon âge et l'on m'attendait dans le jardin.

Je quittai à regret mes trois feuilles blanches, emportant cependant avec moi les trois mots. Une fois les présentations faites, papa ajouta que Marilyne adorait les voyages et la découverte de nouveaux pays, et Marilyne qui n'avait pas la langue dans sa poche se mit à énumérer les voyages qu'elle avait faits avec ses parents dans les pays « exotiques ». « Haïti, c'est magnifique, on dirait que les montagnes ont été rasées pour les rendre plus belles. » J'évoquai sombrement l'érosion causée par la déforestation, elle-même causée par la pauvreté. Marilyne fit : « Ah bon, tu en sais des choses, mais s'ils sont pauvres, je n'en ai pas vu des pauvres, ils ont l'air tellement heureux. » Je ne relevai pas et elle poursuivit. De Club Med en Club Med, elle avait fait le Sénégal, le Mexique et la Tunisie, en avait rapporté tous les clichés qu'on peut imaginer sur les Noirs, les Latinos, les Arabes, mais je l'écoutais sans plus songer à la remettre à sa place. Elle prononçait tous ces poncifs avec une si jolie voix, s'interrompait pour sourire et parfois se penchait vers moi comme pour faire une confidence et laissait entrevoir la naissance de ses seins. J'en oubliais les mots, l'envie de discuter. Je compris à ce moment que mon apprentissage de la vie avec les filles serait tortueux. Cette nuit-là, je me masturbai et je rêvai à Marilyne. Je ne parvins que difficilement à m'endormir.

Ce désir, car c'était du désir, ne mènerait jamais à l'amour, cela j'en aurais juré. Mais il ne servait à rien de le nier, le désir existait au point que, devant mes trois feuilles et mes trois mots le lendemain matin, je ne pensai qu'à ses seins que je voulais voir. Était-ce la part de l'animal dans l'humain qui surgissait ? Amour, désir, animalité, et surtout sexe, terre inconnue, toutes ces catégories m'étaient étrangères, et je ne pouvais à la fois apprendre le monde et maîtriser ces flux mystérieux de l'âme, des neurones et, disait-on à propos du sexe, des odeurs et du langage du corps. Je voulais changer le monde et je disposais de peu de temps pour essayer de décrypter les mystères, les frissonnements, les sourires volés, les regards incompris. C'est à ce moment que ma route m'apparut déjà tracée : La vie m'apprendrait la vie.

Pour l'instant, comme on disait des mystiques, je dus me mortifier pour effacer la pensée des seins de Marilyne et terminer mon travail sur les droits, la responsabilité et le citoyen. Je conclus mon texte en expliquant que l'affirmation des droits ne devait pas se faire aux dépens des devoirs et que le citoyen devait privilégier le bien collectif.

M. Lafontaine m'avait dit qu'il animait un petit club de réflexion et d'action politique. Le groupe participait parfois à des manifestations avec des syndicats ou des organismes communautaires. Si je voulais venir à une réunion, il m'accueillerait avec plaisir. Je m'étais familiarisé avec l'injustice mondiale, avec le racisme violent, avec les dictatures, les guerres civiles, mais je connaissais peu, sinon par ce qu'en disait la télévision, la pauvreté d'ici. Lors de la première réunion, le ciel me tomba sur la tête plus d'une fois.

En ce beau début d'automne, je me pointai chez M. Lafontaine qui habitait dans Pointe-Saint-Charles. Petites maisons de briques rouges craquelées donnant directement sur le trottoir, les télévisions qui beuglaient à travers les fenêtres ouvertes, des enfants mal vêtus jouant dans la rue, et des vieux, beaucoup de vieux qui déambulaient sans but apparent. Des cris, du bruit, de la saleté et des odeurs inconnues, des bagnoles rouillées, des femmes obèses assises sur le devant de leur maison. J'avais déjà vu un taudis, mais pas des rues entières de taudis, des pauvres aussi, mais jamais un quartier de pauvres. Je découvrais que l'injustice existait dans mon pays. Ce n'était pas la même pauvreté, mais c'était quand même la pauvreté. Ce n'étaient pas des cases malodorantes dans lesquelles vivaient entassées des familles nombreuses, mais des taudis puants abritant des familles nombreuses. Pas des gens qui mouraient de faim dans un pays pauvre comme l'Éthiopie, mais des Québécois qui ne mangeaient pas à leur faim dans une des sociétés les plus riches du monde.

Je marchais lentement et parfois ralentissais pour mieux observer. Je ne me sentais pas très bien. Je n'observais pas, je me comportais en voyeur ou en voyageur dans un pays exotique. Je prenais des photos dans mon esprit pour mieux raconter le voyage plus tard.

La maison de M. Lafontaine tranchait avec les édifices voisins. La façade avait été refaite et les briques étaient d'un rouge éclatant dont je sais maintenant qu'il s'appelle vermillon. Elle était ornée de fenêtres de bois sombres, toutes décorées par des jardinières débordantes de géraniums et de pensées. Une jeune vigne commençait à apprivoiser les briques.

— Je me suis installé ici pour vivre avec le vrai monde, dit M. Lafontaine en faisant un geste qui embrassait le quartier.

Il chaussait des sandales plutôt que les souliers vernis que je connaissais, portait des jeans délavés et un tee-shirt noir sur lequel on pouvait lire en lettres rouges : « Sans foi ni loi ».

— Entre.

Je fus surpris par le tutoiement. Cette maison n'était qu'une bibliothèque. Des murs de livres, des piles de livres dans le corridor, sur la table de la cuisine. C'était aussi un sanctuaire. Des reproductions de Picasso, un Karl Marx, une Rosa Luxemburg, une affiche de la bande à Bonnot, la photo célèbre de Che Guevara et une de Castro.

— Nous discutons d'une petite manifestation à laquelle nous allons participer en novembre.

Une quinzaine de personnes, portant chacune le

même tee-shirt, étaient réunies dans la salle à manger. M. Lafontaine se contenta de dire « Claude » et la discussion reprit. Je compris rapidement que le groupe s'infiltrait dans des manifestations de mouvements de pression ou d'organismes communautaires et, par diverses tactiques de provocation, tentait d'entraîner les autorités, surtout les policiers, dans une logique de répression. On parlait d'État oppresseur, de police nazie, de capitalisme esclavagiste, de lutte des classes. Ce langage me paraissait un peu exagéré et, timidement, j'émis une pâle réserve. On me regarda comme si je faisais partie de la police nazie. « Il est jeune, il évolue, mais je crois que Claude va finir par comprendre que la fin justifie les moyens quand la cause est juste. » Et Maria explosa.

« Au Chili, ma maman se retourne dans sa tombe et elle hurle de douleur. » Le lourd accent espagnol transformait ces mots en tirade mélodramatique plutôt comique, mais je me retins de rire. « Moi dont la maman a été violée et torturée et qui est disparue et qui repose probablement dans un trou, je me battrai, je grifferai, je veux le sang de l'oppresseur. » Mais je cherchais l'oppresseur ici. Le capitalisme peut-être, mais il ne creusait pas de trous pour toutes les mères de toutes les Maria. Ses bras faisaient des mouvements de flamenco, ses yeux flambaient. « Chili, Québec, même combat », avait conclu Maria. Elle était vraiment belle.

Une partie de moi, celle que je n'aime pas parce qu'elle échappe à mon contrôle, se disait que si je la connaissais plus, je comprendrais mieux sa position.

Pour un être logique et posé comme moi, découvrir qu'un regard de femme peut remettre en question toutes les certitudes si longuement et méthodiquement acquises crée une sorte d'effroi. Mais j'avais décidé que la vie m'apprendrait les femmes. Fidèle à ma méthode, je laissai faire la vie.

J'écoutai avec curiosité la proposition d'action qui venait de Maria. La Chambre de commerce de Montréal organisait à l'Hôtel Reine Elizabeth un buffet gastronomique à deux cents dollars le couvert dont les profits iraient aux banques alimentaires et aux soupes populaires. Les bénéficiaires de cette générosité d'entreprise avaient décidé de protester, soutenant qu'ils ne recevraient qu'une maigre portion des montants recueillis. Maria proposait de faire un raid et de dévaliser le buffet de foie gras, de cailles, de filet mignon, de saumon en papillote, et de le distribuer symboliquement aux groupes communautaires qui devaient manifester en face de l'hôtel.

Mon esprit rationnel notait au fur et à mesure toutes les failles de son plan. La première relevait de la morale. Nous usurperions la cause et la réputation d'organismes qui s'échinaient à fournir des repas ou des provisions à des démunis. Je pensai qu'on risquait ainsi de miner la crédibilité d'organismes et de militants qui avaient choisi la voie politique et pacifique pour faire avancer leurs revendications. C'est de nous qu'on parlerait. Mais, cette fois-ci, je me tus. On oublierait les véritables acteurs, d'anciens assistés sociaux, des animateurs communautaires qui avaient érigé des petits lieux d'abondance, des bénévoles, des gens de bien, quoi… Nous prenions le risque de leur nuire comme si notre interprétation de l'action nécessaire et radicale supplantait leur approche patiente et résolue et souvent le travail de toute une vie. La passion de Maria, sa furie élégante, balaya la morale comme un vent chaud qui fait virevolter des feuilles oubliées sur une pelouse bien ratissée.

Quand elle repoussait ses cheveux qui venaient masquer son visage, elle faisait un mouvement du bras si gracieux. Mes réticences plus techniques sur la tactique à employer pour pénétrer dans la salle, en groupe et en force, ou individuellement et discrètement, sur le transport de la nourriture, sur la fuite lourdement chargés que nous serions, sur la manière de remettre le fruit de notre larcin révolutionnaire aux banques alimentaires, toutes les questions que je ne posai pas s'envolèrent avec son geste de danseuse.

Le groupe s'emballa. On se félicitait. Maria souriait et peut-être pensait-elle à sa mère dans son trou. On peut sourire et être triste. Voulant partager mon enthousiasme, je lançai que nous serions comme des Robin des Bois qui volaient aux riches pour donner aux pauvres. Si Maria avait pu me tuer…

M. Lafontaine me racheta en disant que Robin des Bois ou Arsène Lupin ou la bande à Bonnot, c'était une façon simple d'expliquer une tâche révolutionnaire complexe. Maria cessa de me fusiller du regard.

On ne décide pas qu'on est adulte, cela se fait, s'installe sans qu'on le sache, et ce n'est que beaucoup plus tard qu'on peut confier à un ami ou à une femme qu'on courtise : « C'est à ce moment que je devins adulte. »

Marchant vers le métro, grisé par ma nouvelle audace révolutionnaire, convaincu que j'allais participer à un moment important dans la conscientisation de la population, à dix-sept ans, je me dis que j'avais enfin un but, construire le monde pour les enfants de demain. Ces petits ne joueraient plus dans la rue. Ces taudis retrouveraient leur dignité de solides maisons ouvrières.

— Papa, je vais participer à ma première manifestation et nous allons…

— Des conneries, les manifs, juste des rêveurs et des paumés.

— T'exagères, quand même. Dis-moi pas que tu n'as pas manifesté quand tu étais jeune.

— Mais oui, j'ai manifesté. C'était une perte de temps. On ne peut rien changer. Il est trop tard. De toute manière, tu ne peux pas comprendre.

Je ressentais une forme de mépris, un rejet primaire, instinctif de ce que mes paroles exprimaient comme espoir. Il me reprocha de moins jouer au tennis. Il buvait son whisky par petites gorgées, mais il aurait bien pu boire la moitié du verre d'un coup tellement les lampées se succédaient à un rythme rapide et régulier comme une machine dotée d'un programme qui organisait l'absorption systématique et méthodique de liquide. Depuis quand son visage était-il plus gris que ses cheveux ? Et ses épaules toutes voûtées, et ses pattes-d'oie qui me semblaient nouvelles comme si elles étaient venues gommer son visage durant ma courte absence? Pourquoi n'avais-je pas vu avant que mon père dépérissait et qu'il buvait de plus en plus?

Mon père n'allait pas bien. L'adulte que j'étais devenu le constatait, mais l'enfant que je demeurais, trop troublé par cette découverte, se retira dans sa chambre sans poser de questions, sans oser aller plus loin, comme si je n'étais adulte qu'à l'extérieur de la maison ou dans ma chambre, mais jamais devant mon père ou ma mère. Surtout en présence de mon père. Sa brusquerie, son cynisme, ses réponses toutes faites me laissaient perplexe, comme si j'étais convaincu que tout cela faisait façade, cachait un mal pernicieux, un désespoir secret. À dix-sept ans, on ne demande pas à son père pourquoi il répond bêtement, boit de plus en plus et a le visage plus gris que les cheveux. Mon père faisait partie d'un segment de la vie que je me refusais à analyser et même à prendre en compte. Je constatais que je ne comprenais pas et me réfugiais dans le monde extérieur que je devinais de mieux en mieux. La vie se chargerait de me faire découvrir ces mystères. Pour le moment, j'avais mes livres et ce texte sur la pauvreté à Montréal que M. Lafontaine m'avait remis. L'argumentation me séduisit. La pauvreté n'est pas absolue, elle est relative et proportionnelle à la richesse environnante. Même si le pauvre d'ici est cent fois plus riche que le pauvre du Rwanda, il est en fait dans sa chair et dans son esprit aussi pauvre que lui, et tout le tralala. C'est maintenant que je dis et tout le tralala. Depuis, j'ai rencontré des pauvres africains qui rêvent de devenir des Québécois pauvres, mais jamais l'inverse. Je compris cependant que les pauvres que j'avais vus dans le quartier de M. Lafontaine étaient plus nombreux que je ne le croyais. Cela renforça ma résolution d'agir. Cela et les yeux de charbon de Maria.

5

Ce n'était pas un temps à mettre un pauvre mal vêtu dehors, et pourtant, ils étaient une cinquantaine sur le trottoir. Une giboulée de novembre, autant pluie que neige, en énormes flocons mouillés collait aux vêtements et aux visages. Le vent plein d'eau transperçait les vêtements. Eux, ceux que nous infiltrions, lançaient poliment des slogans que nous reprenions : « Pas de foie gras, du steak haché ! » « Banquet pour les riches, rien pour les pauvres ! » C'était une protestation symbolique dont le seul objectif était trente secondes à la télé après une minute sur le travail charitable des mangeurs de foie gras.

Nous étions une vingtaine, soucieux des consignes. Personne ne se connaissait, nous ne portions pas de pancartes et nous nous étions placés à intervalles réguliers dans la file de militants qui tournait devant la porte du Reine Elizabeth sous l'œil bienveillant de quatre policiers tout aussi transis que les manifestants. Quand M. Lafontaine et Jorge, un autre réfugié chilien, se précipitèrent en courant vers l'intérieur de l'hôtel, deux policiers partirent à leur poursuite et Katarina, une jeune femme enceinte, s'évanouit devant un autre policier qui appela son collègue à l'aide. M. Lafontaine et Jorge tournèrent à gauche vers l'escalier mécanique qui descend à la Gare centrale. Ils expliquèrent aux policiers qu'ils avaient un train à prendre. Une dizaine d'entre nous se précipitèrent à l'intérieur. Un étage à monter et nous étions dans la grande salle de banquet. Maria était juste à côté de moi. Nous devions nous emparer de quelques plateaux de nourriture, les remettre aux représentants des pauvres et nous fondre dans la nature mouillée de gros flocons, comme Robin des Bois. Mais des convives ne le prenaient pas ainsi. Ils tentaient de faire obstacle, certains même donnèrent des coups pour sauver de la razzia leur nourriture si cher payée. Maria se saisit d'un grand plateau et moi de deux homards. Un escalier, une sortie dans la rue Mansfield, des gens qui nous dévisageaient, nous tournâmes à droite sur le boulevard René-Lévesque pour rejoindre les manifestants. C'est surtout moi qu'on regardait avec mes deux homards. Plus personne. Les pauvres et leurs représentants s'étaient envolés. Maria était une vraie résistante, elle n'était jamais dépourvue.

« On prend un taxi, Claude », et elle s'engouffra dans un taxi. Je la suivis avec mes deux homards. Pas un mot dans le taxi et le regard méfiant du chauffeur qui, de son rétroviseur, surveillait le plateau et les deux homards. Je regardais sans cesse dans la lunette arrière, convaincu que la police nous poursuivait.

L'appartement de l'avenue du Parc, au-dessus d'un bar grec, est minuscule. Sur les murs de la pièce de séjour, une photo d'Allende, une autre du Che, la célèbre photo. Des livres posés sur le sol en piles. Un drapeau cubain sépare la pièce de séjour de la cuisine.

Elle a posé le plateau sur une table. « C'est quoi, ça ? » Je réponds que c'est du pâté. Des tranches rosacées, marbrées de brun, de marron, entourées d'une gelée dorée. « Il ne faut pas gaspiller la nourriture », dit Maria. Et elle revient de la cuisine avec deux assiettes et des couverts. Je dis : « C'était quand même amusant. » Maria répond que la révolution ne doit jamais amuser. Nous mangeons les homards en silence. Et je ne m'amuse pas. Je pense à la faillite de cette opération. Car c'est une défaite humiliante. Deux homards et un pâté mangés par deux révolutionnaires.

Je cherche les mots justes et polis qui annonceront mon départ, mais m'abstiens de formuler ceux de l'échec.

« Tu veux faire l'amour ? » Elle m'aurait demandé si je voulais un café que c'eût été le même ton. Le café, je connais, l'amour, pas du tout. Elle se lève et débarrasse la table. Je l'entends déposer les plats et jeter le pâté derrière le drapeau cubain. Le regard crée le désir et du désir vient l'amour.

« Alors ? » Je sais que, en théorie, quand elle se tient droite ainsi devant le drapeau cubain, les deux mains sur les hanches, je dois sentir un début d'érection. Voire le désir. Je me souviens de ma méthode.

« Je voudrais voir », dis-je timidement, et je me lance dans une longue explication du regard, du désir, de l'amour, mais je ne mets pas les mots dans le bon ordre, je bafouille des phrases incomplètes.

Elle enlève son tee-shirt, puis son soutien-gorge. Elle ne sourit pas. Elle reste plantée devant le drapeau de Fidel comme une statue révolutionnaire. Elle ne me regarde même pas.

« Et maintenant ? » Je ne réponds pas. Le désir ne naît pas du regard admiratif. Je n'ai jamais vu d'aussi jolis seins, en fait je n'ai jamais vu de seins que ceux des tableaux dans les dictionnaires. Même pas l'envie de toucher. Elle baisse ses jeans et écarte les jambes. Elle est totalement nue et je vois le sexe d'une femme pour la première fois. Son regard est absent. « Maintenant que tu as vu, tu peux toucher. » Non. Ce n'est pas ainsi qu'on s'engage dans la vie amoureuse. Je dois partir, je pars. Je bois une bière dans le bar grec sale et miteux. De vieux messieurs pansus, aux vêtements d'une autre époque, jouent au vidéopoker.

Je ne comprendrai jamais rien aux femmes. Il faut que je m'excuse. Je sonne. Maria accepte mes explications tortueuses et malhabiles et m'explique tout en marchant de long en large et en fumant un cigare qui empeste. Le désir ne peut être que sexuel, sans attachement. Le désir amoureux a été inventé par la littérature bourgeoise et il affaiblit les convictions révolutionnaires. Le militant doit assumer sa part d'animalité et satisfaire ses pulsions sexuelles d'une manière objective qui ne contrevienne pas à la lutte. Elle se met à genoux devant moi, défait ma ceinture, je tremble, elle descend mes jeans et mon slip, je ne sais pas ce qu'elle fait, et elle prend mon sexe dans sa bouche. Je croyais que l'érection naissait du désir, mais non. Elle se lève, monte sur le divan et m'enfourche. Puis elle se met au travail, la tête penchée vers l'arrière, les yeux au plafond. Je ne suis qu'un outil pour son travail.

Ce n'est qu'après avoir joui que j'ai ressenti le désir. J'ai voulu l'embrasser. Elle m'a repoussé.

En descendant l'escalier, je me suis demandé si demain elle ferait la même chose avec un autre. J'étais déjà jaloux et, surtout, je voulais revoir Maria. Pas pour la révolution, seulement pour elle qui ne m'avait pas regardé ni embrassé, qui s'était satisfaite et m'avait retourné à ma jeunesse ignorante, mais qui m'avait appris cette curieuse douleur qu'est la jouissance sexuelle.

La relativité de la pauvreté m'occupait dorénavant. Maria travaillait maintenant sur le logement abordable et proposait d'infiltrer le FRAPRU, un organisme communautaire hautement respecté même si on suivait rarement ses recommandations. J'avais beau apprendre le code de construction par cœur, le taux de disponibilité des logements locatifs, les règles de la Régie du logement, la liste des propriétaires récidivistes, maintenir un registre, Maria, au cours de nos réunions, ne portait aucune attention à mes remarques ou à mes découvertes. Elles suscitaient cependant l'approbation admirative de M. Lafontaine, qui soulignait que la passion révolutionnaire devait s'appuyer sur une analyse rigoureuse des conditions objectives. Je ne m'approchais pas de Maria. J'attendais que le même événement se reproduise, convaincu que si elle avait eu envie une fois, elle me ferait signe et m'enfourcherait de nouveau.

— Papa, est-ce que l'homme est un animal?

— Oui.

— Pour tout?

— Non, il est conscient.

— Peut-il réagir seulement comme un animal, je veux dire, par exemple, pour le sexe?

— Évidemment.

— Et changer son parcours humain pour satisfaire son animalité?

— Évidemment.

— Modifier ses objectifs?

— Oui.

— Et comment fait-on pour être animal sans trahir sa conscience? Je veux dire en demeurant humain?

Papa se servit un whisky qu'il avala d'un trait. Puis un autre. Était-ce une larme, une émotion? Une sorte de brume se posa sur les yeux de mon père, un voile. Je m'excusai de l'avoir dérangé. Il bafouilla que non et qu'il était fatigué. Je montai dans ma chambre avant qu'il ne commence à pleurer, car j'étais assez âgé pour deviner qu'après la brume venait la pluie.

Mon envie d'être repris par Maria bousculait toutes mes références, mes analyses logiques, ma prudence dans l'action. Maria, en raison de son statut de réfugiée et d'orpheline d'une disparue dans un trou, exerçait une influence disproportionnée sur le groupe. Elle avait un slogan pour toute situation, une repartie lapidaire pour toute objection raisonnable. Elle parlait toujours rapidement, rejetait ses cheveux en arrière, lançait des regards assassins, se moquait des timides et des prudents. Je crois que je n'étais pas le seul à être convaincu que Maria nous menait dans le cul-de-sac de l'anarchie, de la provocation pure. Mais qui étions-nous, petits-bourgeois aisés, pour contester la voix de la révolution incarnée? Avions-nous déjà souffert? Elle, oui, dans ses tripes et dans sa mémoire. Sa rage et sa passion nous rapetissaient, nous ramenaient à nos existences confortables et à notre crainte du risque. L'opération du Reine Elizabeth avait été une énorme faillite, mais personne n'avait contesté le bien-fondé de l'aventure. Maria parvenait à nous convaincre en exploitant notre honte de ne pas avoir une mère dans un trou. Et dans mon cas, elle n'avait qu'à bouger pour que j'oublie toute forme de réflexion critique.

6

C'est ma mère qui me demanda pourquoi je m'intéressais maintenant aux nouvelles locales et de moins en moins aux événements internationaux. C'était un prétexte, car elle poursuivit en me demandant comment je trouvais mon père. Elle ne parla pas de son visage gris, ni des whiskys, ni des silences, ni de sa distance par rapport à nous comme si mon père ne vivait plus avec nous, mais à côté de nous, parallèlement à nous, dans la même rue, mais parcourant le trottoir opposé.

Je répondis que la pauvreté commençait ici et que, pour changer le monde, il fallait d'abord établir la justice chez nous.

— Et ton père, qu'est-ce qu'il dit?

— Il refuse d'en parler. Il me dit que tout est normal, que c'est ainsi que le monde évolue et qu'on ne peut rien faire.

— Est-ce que tu sais que ton père, avant d'être fonctionnaire… Non, ce n'est pas important. Je crois qu'il est fatigué. Tu as raison, il faut changer des choses ici, mais tu ne devrais pas oublier ceux qui sont objectivement beaucoup plus malheureux et exploités que nous.

Maman, conseillère en communications, attachée de presse de Robert Charlebois, invitée à toutes les premières, cliente de Holt Renfrew et de Roche-Bobois, avait prononcé les mots « objectivement » et « exploités ». Ce devait être une erreur, une sorte de lapsus dû à la mode des mots qui s'installent dans le paysage sans que personne ait réfléchi à leur signification.

7

Au collège, je ne suis plus le premier en tout. J'ai été viré de l'équipe de hockey et je perds régulièrement au tennis. Depuis que j'affiche une barbe naissante et que je me laisse pousser les cheveux, des filles me draguent. Cela me laisse indifférent. Je n'ai plus beaucoup de copains, car je passe mon temps à leur reprocher de ne pas vouloir changer le monde. Je fais des discours, des proclamations. Je n'écoute personne. Je parle comme Maria qui a sa mère dans un trou, mais la mienne accompagne ce soir Robert Charlebois à une émission de télé. Après une discussion sur un projet d'incendier des taudis, j'ai laissé mon numéro de téléphone à Maria, qui a fait une boulette de la feuille sur laquelle étaient aussi inscrites quelques réflexions sur la méthode. Pourquoi ne pas les rénover, ces taudis, monter une opération de construction plutôt que de destruction? Le téléphone ne sonne jamais. J'apprends à maîtriser mon animalité par la masturbation, mais cet exercice fébrile me laisse un goût amer de culpabilité comme si j'avais trompé Maria. Pendant les réunions du groupe, Maria occupe dorénavant la plus grande place. M. Lafontaine se tait la plupart du temps. De nouveaux membres monopolisent les débats. Ils sont dans la vingtaine. Jeans et camisoles, chaînes à la ceinture. Ils veulent de la casse. La société, c'est de la merde. C'est vrai, mais il faut l'expliquer, cette merde, l'analyser, choisir des objectifs. Je pense et je me tais. Je parviendrai certainement à réconcilier ma logique et mes envies, les faits et le désir.

Maria ne parle plus des taudis, elle discourt sur l'impérialisme américain, raison de toutes les injustices mondiales, et sur les symboles qu'il faut abattre. Je pourrais dire : « Commençons par les taudis. » Elle enchaîne à propos de McDo qui exploite les paysans de l'Amérique latine et qui empoisonne les pauvres d'ici. Je ne dis rien, je cherche son regard. Maria veut détruire un McDo, elle n'a pas le temps de me regarder, mais plus son projet prend forme, plus sa passion s'exprime en gestes et en regards qui me séduisent encore plus. C'est con détruire un restaurant, mais j'en serai même si les plus anciens du groupe ne sont pas chauds à l'idée et que M. Lafontaine émet des réserves sur l'opportunité d'une action violente qui ne s'appuie pas sur un large mécontentement populaire. Un Latino jette comme un crachat : « Petit-bourgeois ! Shit. C'est de la violence que naît la conscience populaire ! » Mon mentor se tait, j'observe Maria qui approuve.

Le plan est simple : repérer un McDo relativement isolé, fracasser à coup de masse les vitrines et lancer une dizaine de cocktails Molotov bien répartis pour que l'incendie se propage à tout l'établissement, et puis fuir. Pas un mot sur le système d'alarme qui va se déclencher au premier coup de masse, sur le temps dont nous disposons et sur les moyens de fuir. On fout le feu et on disparaît dans la nature au beau milieu de la nuit. Maria distribue un mode de fabrication de cocktail Molotov et nous conseille d'en composer quelques-uns pour nous exercer. M. Lafontaine déclare qu'il s'oppose à cette dérive anarchique et que, quant à lui, le groupe n'existe plus. Les réunions se poursuivront chez Maria.

Je me souviens de mon premier essai. C'était une bouteille de Côte de Beaune Village que j'avais remplie de liquide pour allumer le barbecue mais dont j'avais mal obturé le goulot. L'engin lancé sur un rocher dans un parc ne fit qu'un petit plouf et une maigre flamme. Je me repris le lendemain avec une bouteille de Johnny Walker Black Label. Le rocher explosa, la flamme illumina le parc. Je pris mes jambes à mon cou et, en rentrant à la maison à quelque cent mètres du parc, j'entendis les sirènes. Mon père me demanda si j'avais entendu l'explosion. Je ne suis pas parvenu à dormir cette nuit-là, oscillant entre le sentiment exaltant d'avoir pénétré dans le monde de l'action et l'impression bizarre et angoissante d'être prisonnier d'une cabine de montagnes russes qui m'imposait les frissons et les plaisirs.

Je suivais encore attentivement les cours de M. Lafontaine. Sans nous le dire, nous avions convenu de ne pas parler de Maria. Mais si j'étais là maintenant, engagé, brûlant d'espoir, miné par le doute et la peur, il en était un peu responsable. Et c'est une forme de reconnaissance de son rôle dans ma vie qui fit que la veille de l'attaque sur le McDo de la rue de Belle-chasse, je lui fis part de notre projet. « Vous vous trompez gravement, Tremblay, mais il existe mille détours pour apprendre. »

8

À la maison, on avait l'embarras du choix pour les bouteilles vides. Pour mon baptême du feu, je choisis un
Vosne-Romanée dont mon père avait chanté les
louanges durant tout le repas de la veille et encore après,
en sirotant un vieil armagnac qui de toute évidence le
menait à l'ivresse et à une tristesse sourde et parfois vin-
dicative. Je me méfiais de l'ivresse de l'alcool, mais
acceptais celle de l'action, comme si celle-ci était plus
noble et moins assassine.

Devenir un homme prend du temps, plus que
l'âge qui définit l'adulte. Par rapport à la connaissance
théorique du monde, de ses grands enjeux et de ses
complexités perverses, j'étais presque un homme. À
propos de la vie, je naviguais de manière chaotique sur
une mer adolescente naïve. Je ne me souciais ni des
courants ni des tempêtes, je louvoyais, mais ignorais
totalement comment maintenir le cap malgré les
rafales. La mer me portait.

Pour ce qui était de l'action, je me souvenais que
mes jambes m'avaient abandonné dans l'escalier du
Reine Elizabeth comme si jamais je n'avais été un ath-
lète de haut niveau. Le vol de deux homards avait para-

lysé tous mes réflexes et c'est en titubant que j'avais descendu les marches.

Maria avait confié à ses Latinos la première vague de l'attaque, la destruction des trois vitrines, puis aux anarchistes purs et durs la tâche de lancer les bombes incendiaires. Je faisais partie de la troisième vague avec quelques membres du groupe.

L'objectif avait été bien choisi. Le McDo était situé près d'un grand parc, devant des établissements commerciaux, dans une rue que peu d'automobilistes empruntaient la nuit. Les Latinos attaquèrent avec une rage révolutionnaire, les trois vitrines volèrent en éclats. Le premier cocktail Molotov provoqua des applaudissements. Merde, ce n'était pas un spectacle. Puis, le restaurant s'illumina comme par magie de l'intérieur. Une trentaine de policiers munis de gilets pare-balles, armés de fusils mitrailleurs sortirent de l'ombre. Ils nous attendaient, nous avaient laissés fracasser les vitrines pour prouver l'infraction, lancer un cocktail Molotov pour nous accuser de crime incendiaire. Flagrant délit magistral. Cause béton pour le procureur.

Je ne sais trop pourquoi, mais quand un policier me passa les menottes en me disant que j'avais le droit de me taire et que tout ce que je dirais pourrait être retenu contre moi, je me sentis libre, soulagé d'un poids immense. Maria hurlait, crachait un venin anti-impérialiste, donnait des coups de pied aux policiers. Maria était ridicule et ma complicité dans cette opération rocambolesque me ramenait à la réalité. Il était temps que je revienne en moi.

Devant le tribunal de la jeunesse, je plaidai coupable et fus condamné à trois mois en centre de détention. Je me disais que cela me donnerait trois mois pour réfléchir à mon avenir. Pendant que je pensais aux moyens de changer le monde sans violence dans une petite chambre de trois mètres sur cinq, mon père se suicida.

Il avait laissé quelques mots, probablement pour lui : « Pourquoi vivre si on ne fait rien après avoir rêvé de tout ? »

J'avais attaqué un restaurant et tué mon père. Je me sentais responsable, mais pas coupable.

Est-ce que j'avais aimé Maria ? Non, sûrement pas, puisque aucune cellule de mon corps n'avait réagi à l'annonce de son expulsion vers le Chili.

Quatre-un pour la Hollande. On lutte contre la solitude en se fabriquant, en construisant de toutes pièces des approximations de bonheur. Pour lutter contre la solitude, on se fixe de petits plaisirs futurs. Un repas, une promenade, un match de foot durant lequel on s'identifie à une équipe, parfois un canard qu'on pense connaître dans le parc traversé pour se rendre à la Cour, le projet d'acheter un cadeau. J'avais investi mon bonheur de la soirée dans une victoire de la France. Bunia est annulée, la France humiliée. Mais c'est à maman que je pense et à cette soirée de mon retour, après mes trois mois en centre de détention pour jeunes et le suicide de mon père.

Mes parents se sont rencontrés lors d'une conférence de René Dumont, l'agronome français qui a écrit *L'Afrique noire est mal partie*. Lui, Julien, étudiait la philosophie, mais rêvait de devenir comédien et aussi de travailler en Afrique, se demandait si le droit ne lui irait pas mieux et parfois songeait à la prêtrise, mais comme prêtre-ouvrier. Son idéalisme, sa naïveté, sa générosité charmaient, sa timidité aussi. Elle, Rosanne, faisait la révolution surtout dans les crêperies bretonnes et parfois dans des manifs qu'elle choisissait selon sa dernière rencontre. Ce qui la fit marxiste-léniniste, trotskiste, maoïste et anarchiste selon la crêpe. Mon père l'appelait sa Rosa Luxemburg.

La révolution se partageait en deux camps, le camp rigoureux, soviétique, chinois, algérien, peu importe, mais prude et sévère. Et la *revolución*, cigares, machos et passionarias. Le modèle cubain l'emportait d'emblée sur toutes les autres références. Changer le monde en baisant et en buvant du rhum.

La révolution distrayait ma mère. Papa entendait ses slogans et ses formules toutes faites et se mit à lire tout ce qu'elle n'avait pas lu mais évoquait constamment, Marx, Engels, Bakounine, Lénine, Trotski, Mao. Julien n'est pas devenu communiste pour la séduire, mais ma mère croit que, sans le vouloir, elle l'a mené sur ce chemin.

Il quitta la philo pour les sciences politiques. Pour elle, la révolution constituait une forme d'exutoire, de divertissement, d'enivrement. Elle n'était plus la fille bourgeoise de sa mère qui possédait la principale maison de production artistique de Montréal. Elle était Rosa Luxemburg.

Puis vint l'épisode prolétariat que maman adora au début. Vivre avec les exploités à Saint-Henri, discuter avec les ouvriers, les chômeurs, les assistés sociaux, les damnés de la terre. Après sa maîtrise, Julien quitta l'université et se consacra durant quelques mois à la mise sur pied d'un journal, *En lutte*. Il était devenu un marxiste-léniniste pur et dur. Elle ne comprenait plus rien à ses discours sur la construction de l'avant-garde par l'infiltration. Il travaillait maintenant à l'Hôtel-Dieu comme aide-infirmier. À six heures tous les matins, avec quelques camarades, il distribuait des tracts aux portes des usines. À l'hôpital, il noyautait le syndicat et donnait trente pour cent de son salaire au Parti. Leurs voisins ne mangeaient pas comme eux, ils parlaient presque une autre langue que la leur, ils votaient pour les partis les plus réactionnaires. Julien persistait. Maman n'aimait plus le prolétariat. Après trois ans de pratique révolutionnaire, de cul-de-sac et de désillusions, mon père décréta que le capitalisme avait gagné parce que les ouvriers sont des consommateurs. Il fallait entrer dans le système et l'améliorer de l'intérieur. Julien devint fonctionnaire au ministère de l'Éducation. Rosanne était enceinte de moi. Belle-maman les aida à acheter un duplex rue Waverly, juste à temps pour que je naisse dans un environnement convenable. Ma mère retrouva sa véritable nature, comme un serpent sa nouvelle peau qui n'est qu'une copie de l'ancienne. Elle se remit avec une joie folle aux mondanités, retrouva une garde-robe élégante et, surtout, un jardin.

Elle mourut cinq ans après lui dans un accident de la route, pressée comme toujours entre deux rendez-vous. Mon nouveau statut d'orphelin ne changea pas grand-chose à mon existence.

J'avais peu conscience des gens qui m'entouraient, plongé dans mes études et mes recherches. C'était un peu avant que Nathalie n'arrive dans ma vie.

11

J'ai lu beaucoup de livres sur l'enfermement, l'isolement, la torture. L'isolement dans les romans qui me plaisaient conduisait à la lumière et la torture à la réappropriation du corps. Dans les centres de détention pour la jeunesse, la torture n'existe pas et l'isolement est relatif. Le « prisonnier politique » que j'étais jouait au pool avec des délinquants à la petite semaine, casseurs de gueules sans mots ni rêves. C'est le coffre-fort du McDo que j'aurais dû attaquer. Mario avait « fait » trois dépanneurs. Un peu pour sa mère et beaucoup pour s'acheter de la coke. La coke parce que la vie n'est pas juste et que flyé, tu oublies. Tu oublies quoi? « Que la vie est pas juste, fuck! Faut t'expliquer combien de fois? » Il louche, Mario, et son regard fuit. Il rôde silencieusement comme une hyène tentant de s'emparer des dépouilles et il se débrouille, grappille de petits profits. « La vie est pas juste, Claude. » Les lois existent, les avocats, les tribunaux, Mario. « Pas pour nous. »

Je n'ai rien appris sur moi en prison (cela me plaisait de dire « prison »). J'ai appris Mario qui deviendrait un petit criminel, puis, si Dieu lui en laissait le temps, un vrai criminel. « Claude, en sortant, je me fais une banque, j'achète une maison à ma mère. » Sa vengeance sur la vie serait explicable et compréhensible, mais serait-elle juste? Elle ne serait pas légale, mais elle serait peut-être justifiée. Les éducateurs nous parlaient de réintégration, d'acceptation de règles de la vie. Et si se réintégrer et observer les règles, le mode de fonctionnement de la vie, ne signifiaient finalement qu'accepter l'injustice? L'isolement suscite trop de questions, surtout si on rencontre Mario qui louche et, je le sais, qui pleure toutes les nuits. Je me disais que Mario n'était pas un mauvais garçon, seulement un de ces oubliés de la terre qui méritait qu'on l'aide à s'en sortir.

Il a fait une banque et dix ans de prison.

À vingt-quatre ans, je me suis marié à l'église. Cela faisait plaisir aux parents de Nathalie. Elle me l'avait demandé timidement, en s'excusant presque, elle qui ne pratiquait pas. Elle désirait se marier en robe blanche avec une traîne et des bouquetières et une réception avec des fleurs sur toutes les tables. Pour moi, cela signifiait un smoking, des garçons d'honneur, une visite chez le curé. Cela plairait à tout le monde et ne heurtait aucun principe, sinon mon incroyance, mais au Québec, le fait de ne pas croire n'est jamais devenu une position philosophique et politique.

Je terminais ma maîtrise en droit international, nous étions tous deux des « gauchistes ». De l'isolement, j'avais appris qu'il faut choisir. Mon mariage à l'église fut une distraction agréable tout comme l'emménagement dans un nouvel appartement, les visites chez IKEA, le choix des couleurs pour les murs. En fait, je participais sans m'investir et surtout par respect pour Nathalie qui accordait beaucoup d'importance à toutes ces choses.

À la mort de ma mère, j'avais hérité d'une certaine somme d'argent et n'y avais pas touché. Nathalie avait décroché un emploi de recherchiste dans une ONG catholique. Nous étions, avant que Renaud ne les chante, des bobos.

Les lieux parfois nous transforment tout autant que les événements. Nathalie ne passait pas une journée sans consulter un magazine de décoration français. Elle s'inquiétait des poignées de porte que je n'avais jamais remarquées, me montrait des carreaux de céramique qui, au mètre carré, coûtaient plus cher que l'objet qu'ils devaient encadrer. Son sens de l'harmonie, sa capacité d'agencer les couleurs et les formes, de choisir l'objet en apparence anodin qui magiquement réinventait une étagère inutile ou créait un nouvel espace pour le regard, me médusait. Elle mettait dans toute cette démarche de construction de l'environnement quotidien un tel sérieux, une telle patience que je ne pouvais faire autrement que d'acquiescer à sa recherche du décor idéal. Son besoin d'harmonie physique m'enchantait.

Pendant mon séjour au centre de détention, j'avais choisi le chemin que Mario refusait. Celui du droit et des règles, convaincu que leur patiente application conduirait les Mario de l'avenir dans le droit chemin, expression de chrétien s'il en est. J'avais aussi décidé que la passion n'engendrait que l'excès et la bêtise, que le désir devait céder le pas à l'admiration ou à la communauté de pensée, que l'amour ou le couple devait se fonder sur un respect mutuel et que l'attirance physique était un leurre. Nathalie, je ne le savais pas, se cherchait un mari. Ni un homme ni un amant, seulement un mari. J'avais fait l'affaire et elle aussi.

Elle refermait sa revue de décoration avec un certain dépit quand je lui parlais de l'impunité et de la justice internationale, le sujet de ma thèse de doctorat. Le problème que je posais me semblait simple et pourtant irrésolu. L'impunité, surtout en Afrique, empêchait la construction de tout État de droit et donc d'une société juste et organisée. Cela était d'autant plus grave qu'on faisait face à des crimes qui dépassaient l'ordinaire du crime dont les juges formés dans les grandes traditions juridiques avaient eu à délibérer. Juge-t-on de la même manière un cas de viol isolé et une politique systématique de viol? Considère-t-on avec la même circonspection juridique le massacre de 800 000 personnes et un règlement de comptes dans une bande de motards? Le droit me disait que oui, la justice m'affirmait que non. Et plus j'étudiais le droit, plus je me demandais s'il n'était pas souvent le premier ennemi de la justice.

Nathalie répondait par des « hum » qui n'étaient ni des oui ni des non.

Nous n'en avions pas convenu, mais c'était ainsi. Nous faisions convenablement l'amour une fois par semaine, de façon appliquée et un peu systématique, respectant les règles de l'engagement et terminant toujours dans la position du missionnaire. Je planchais sur le tribunal d'Arusha, qui jugeait avec plus de procédures qu'il ne le faut les génocidaires du Rwanda. Nathalie cherchait de nouvelles armoires pour la cuisine. Nous parlions de moins en moins.

Au bout de deux ans de mariage, je découvris qu'elle avait un amant. Depuis six mois, je ne l'avais même pas embrassée. Pour mon doctorat, je compilais des fiches sur tous les témoignages de victimes de viol dans les procès internationaux. « Évangéline Muro-zowa, dix-sept ans, étudiante en sciences sociales, vio-lée par dix-huit miliciens à un barrage de Gitarama. » Les juges n'avaient pas retenu son témoignage parce qu'Évangéline n'avait pas pu prouver que l'accusé avait participé au viol car, par honnêteté, elle avait admis que, dans l'obscurité, tous les visages qui se penchaient sur elle avaient le même regard fou. Elle ne voulait pas mentir au tribunal ni surtout risquer de se parjurer car elle croyait en Dieu et avait apporté sa bible sur laquelle elle avait prêté serment. « Toute la colline savait qu'Évariste décidait de tout ce qui se passait à la barrière et qu'il était présent presque tout le temps. » Ouï-dire, protesta la défense, objection aussitôt retenue par les juges. Deux cents survivants qui disent la même chose sont-ils tous des témoins suspects ? Toute une colline est-elle un mauvais témoin ? Évariste avait-il été le pre-mier à la violer ou le septième ou le dernier ? Pouvait-elle décrire des marques particulières sur son corps ? L'avait-elle revu par la suite ? L'avait-il de nouveau vio-lée ? Sinon, pourquoi l'aurait-il fait une fois ? Croyait-elle qu'en devenant une victime officielle elle serait compensée financièrement, et d'ailleurs, n'avait-elle pas contracté des dettes récemment ? J'imaginais le désar-roi, l'incompréhension d'Évangéline, dix-huit fois vio-lée, qui ne répondit à aucune question, probablement parce qu'elle sanglotait et que l'avocat de la défense se servait des larmes comme d'un tremplin pour la rendre encore plus fragile et plus silencieuse. Elle se contenta au bout de ses larmes d'avouer qu'elle avait fait appel à un minicrédit d'une ONG pour s'acheter une machine à coudre et confectionner des vêtements pour enfants. Elle était en retard dans ses paiements. L'avocat de la défense coupa court à son contre-interrogatoire sur cet aveu de délinquance financière.

Mais bien sûr, l'accusé était chez lui et mangeait des brochettes de chèvre avec sa femme et ses cinq enfants. Si la colline l'accusait, c'est qu'il était le bourg-mestre et le représentant de l'État et que les Tutsis n'ai-maient pas les Hutus. Eichmann mangeait souvent chez lui pendant que les trains entraient dans Treblinka et les Juifs n'aimaient pas les nazis, cela est bien connu.

Je racontai l'histoire d'Évangéline à Nathalie, dans l'espoir, je crois, de rétablir le contact. Une histoire de femme devrait émouvoir une autre femme. Je multipliai les détails pour provoquer une émotion. Nathalie écouta attentivement, mais ne sembla pas émue par l'histoire. Elle prit une gorgée de vin et avant même qu'elle ne pro-nonce un seul mot, je sus que tout était fini et surtout ma recherche du confort sentimental. Je ne serais jamais plus heureux, voilà ce qu'elle s'apprêtait à m'annoncer. « Comment veux-tu que je puisse m'intéresser à ton his-toire ? Ça peut arriver en Afrique, mais pas ici. Il n'y a rien là-dedans qui me concerne et pour la pauvre fille, je ne peux rien faire. C'est triste, mais il y a eux et il y a nous, et nous ne vivons pas sur la même planète. Je veux bien les aider, donner des sous, manifester, mais nous avons des choses importantes à faire ici. »

Je n'ai pas demandé quoi. Le logement social, les paniers de Noël, un dollar à la main tendue dans le froid humide de février. Je ne comprenais pas ce « eux » et ce « nous » comme si le viol d'ailleurs blessait et transperçait moins que le viol d'ici.

Je crois que la fréquentation assidue des encyclopédies, des dictionnaires et des atlas durant ma jeunesse et mes années d'études avait détruit cette idée du « eux » et du « nous ». Dans ces ouvrages et ces compilations, le viol n'est pas relatif, il est, point à la ligne. Les pauvres n'ont pas de couleur, ils n'ont que leur pauvreté comme définition commune et universelle. Dans le *Larousse*, une femme est une femme. Elle n'est pas moins ou plus femme selon son pays d'origine. Des livres, je développais des notions simples. Tous les humains sont identiques, ont les mêmes droits, sont frères, solidaires et également responsables du bonheur de chacun. Nathalie croyait que son viol serait plus dramatique que celui d'Évangéline. Il ne servait à rien de tenter de la raisonner. Son vagin était supérieur, plus précieux que celui d'une Africaine. Nous ne partagions plus rien, sinon quelques émissions de télé et les grands documentaires animaliers. Elle décorait, je cuisinais et faisais le ménage. Nous nous accommodions, ce qui signifie que nous étions littéralement commodes l'un pour l'autre. J'avais renoncé au désir et à l'amour, non pas parce que je n'y croyais plus, mais parce que tout cela était trop exigeant. La compilation de mes fiches sur les victimes et les grands assassins de la planète satisfaisait tous mes besoins émotifs. Ce n'est pas parce que j'étais sans amour que mon cœur était vide de sentiments et d'affection. Au contraire. Quant à Nathalie, elle se passionnait pour son confort, son environnement immédiat, sa carrière, ses vêtements. Aucune énergie pour les exigences de l'amour. Elle avait pris un amant qui, me confia-t-elle, se plaignait qu'elle ne soit pas suffisamment amante. Nous avions ri, ri de nous.

Nathalie refusait d'entrer dans mon bureau dont les murs étaient tapissés d'images atroces. Une jeune fille du Mozambique qui tenait dans ses mains une tête, une autre, Ougandaise dont on avait coupé les seins, un garçon angolais, avait-il douze ans, qui fumait un joint, la kalachnikov entre les jambes.

Je ne suis ni pervers ni morbide. Ces photos, comme des icônes, me rappelaient mon engagement qui pour le moment ne menait nulle part, mais que je vivais comme un séminariste apprend, réfléchit, prie avant de se mettre au service de Dieu et de ses ouailles. Voilà, des images de saints et de saintes qui encourageaient ma vocation. Je ferais quelque chose… Quoi? Je ne le savais pas. Tout en terminant ma thèse, je parcourais les sites d'organisations internationales ou d'ONG, mais les boulots qui m'intéressaient requéraient une expérience de terrain que je ne possédais pas, et puis le terrain m'effrayait.

Un jour, Nathalie disparut de ma vie. Je l'écris aussi simplement parce que pour elle ce fut un jour comme les autres, je veux dire comme tous les matins que je connaissais d'elle. Elle avait passé une demi-heure à se maquiller, avait mesuré sa tasse de Müslix, consulté une revue française, m'avait donné rendez-vous pour le lunch Aux Deux Singes, rue Saint-Viateur. Elle m'avait embrassé sur le front, me souhaitant bonne soutenance de thèse. À mon retour, un mot sur la table du salon : « Tu penses à tous ces gens qui souffrent dans le monde. Mais finalement, tu ne penses qu'à toi. Adieu. » Les placards étaient vides.

13

Existe-t-il au monde un lieu aussi silencieux et calme que cette grève caillouteuse de Bretagne où je suis venu me réfugier après l'échec de mon mariage? Les galets étaient chauds. La baie de Paimpol totalement vide de mer. Seulement quelques petits étangs entre les lits d'huîtres rappelaient sa présence. Le silence n'existe pas, mais le bruissement des feuilles et les cris des goélands font une sorte de silence. Peut-être que le silence est la paix de la terre, le son qu'elle produit quand elle est calme. Une jeune femme jouait avec une fillette, je surveillais l'eau qui avançait comme un nuage paresseux dans le ciel. Je pesais le pour et le contre de la réflexion et de l'action, je cherchais dans l'horizon qui rougissait le chemin que je prendrais. Elles me saluèrent en passant près de moi. Deux Québécoises, l'accent ne trompait pas. Le sourire de la jeune femme rayonnait d'une telle générosité, d'une telle chaleur. Je tombai instantanément amoureux, mais ne répondis que poliment en hochant la tête. Plus tard, la jeune femme buvait un Ricard, la fillette mangeait une glace à la terrasse de l'Hôtel Bellevue. Nous échangeâmes des signes de tête et je décidai qu'elles s'appelaient Isabelle et Emma. Je ne sais pas comment on peut exprimer la beauté d'une femme sinon par le trouble qu'elle provoque. J'ai pensé à toutes mes erreurs, à mon incapacité de vivre avec le mystère, et j'ai eu peur, peur d'essayer de dire que j'étais amoureux. À ce moment, je le sais maintenant, j'ai refusé la beauté du monde et accepté la monotonie de l'ordre et des règles.

14

À quel moment découvre-t-on l'Afrique? Dans l'avion, peut-être, qui part de Paris vers Abidjan. Des femmes ont revêtu leur boubou, les hommes exhibent leur montre dorée. Les Blancs semblent plus détendus que sur un vol Paris-Londres, même ceux qui portent la cravate. Ou encore à l'aéroport d'Abidjan? Dans la bousculade et le désordre, avec le douanier qui veut confisquer un ordinateur. Le douanier ne choisit jamais le Blanc qui sait, il choisit le nouveau, celui qui va peut-être au Club Med, le Blanc naïf, nourri d'espoirs jolis et rêveurs, comme le Noir qui se présente à la douane française, pays de l'égalité et de la fraternité. Illusions réciproques.

L'hospitalité africaine, comme la fraternité européenne, se négocie. Jusque-là, l'Afrique qu'on découvre n'est que sa copie européenne, même si elle dérange puisqu'elle est l'inverse de ce que nous connaissons. Ici, c'est le Blanc qu'on tente de saigner. Chez nous, c'est le Noir qu'on emprisonne.

C'est une fois passé la douane qu'on arrive en Afrique. Cent bras, cent jambes, cent bouches qui assaillent le visiteur. Promesses de vitesse, taxis confortables, je serai ton guide, chef. J'entends les mots et je suis fasciné par les lueurs et les ombres. Les lueurs se maintiennent et ce sont les ombres qui bougent entre les lueurs. Personne ne m'attend, donc mille personnes m'attendent. Vendeurs d'eau, de melons, de bananes, porteurs de valises et chauffeurs de taxi qui souvent ne sont pas des taxis. Quand on ne sait rien de l'Afrique, c'est au petit bonheur la chance. Le douanier m'avait dit que le sida n'existait pas en Côte-d'Ivoire, nous avions convenu pour dix dollars que quelques sidéens existaient peut-être. Mon petit bonheur la chance se nommait Youssef.

— Tu sais, chef, je pourrais te voler, parce que je le vois bien, c'est ta première fois en Afrique. Mais je me dis que si je suis honnête avec toi, tu me garderas. Mais peut-être que je vais te voler un peu.

Il éclata d'un rire si franc, si sonore que je lui fis immédiatement confiance.

Dans le taxi qui n'en était pas un et que j'avais négocié plus près du prix de Youssef que de celui qui était indiqué dans mon manuel de coopérant, je remerciai Nathalie. Elle avait contribué sans le savoir, et surtout sans le vouloir, à me mener ici. Elle avait respecté ma distance, mon obsession, ne les avait jamais remises en question.

Youssef m'expliquait tout pendant qu'il conduisait sa voiture comme dans un jeu vidéo parsemé d'obstacles qui étaient des piétons, parfois des chèvres, généralement d'autres voitures qui tanguaient, des minibus qui fonçaient. Le clignotant n'existe pas ici, ni l'éclairage. Les lampadaires étaient muets. Parfois, l'un d'eux diffusait un peu de lumière blafarde. Le vent chaud faisait comme une couverture qui m'enveloppait. J'imaginais un liquide amniotique dans lequel je baignais et qui me nourrissait. J'étais dans le ventre de l'Afrique, chaude et humide. Le babillage de Youssef, les klaxons, les silhouettes qui traversaient, les braseros, tous ces fantômes qui marchaient dans l'ombre, tout ce surcroît de vie et de bruit m'ensorcelait. Arrivé à l'Hôtel Tiama, sur le Plateau, Youssef demanda un peu plus que le prix convenu, mais il s'empressa d'expliquer pourquoi. La circulation était plus dense que d'habitude. Le Blanc qui aime d'avance l'Afrique apprend très lentement à dire non. Il se sait relativement riche et le petit vol dont il est l'objet et dont il est conscient l'irrite, mais il préfère au début acquiescer à son propre détroussement comme preuve d'empathie. C'est, je l'admets, un tout petit exemple d'impunité, mais, je le découvrirai plus tard, il fait partie de la culture, de la vie quotidienne, des réflexes de survie. Il fait partie des mœurs, et l'exemple vient de haut. Comment instaurer des règles, des normes ? Comment expliquer que le plus petit vol, comme le plus énorme, doit être puni ?

Le restaurant de l'Hôtel Tiama est chinois, le chanteur aussi, de même que quelques filles qui sirotent un verre d'eau teintée au bar. Le rock chinois est au rock ce que la musique militaire est à la musique. J'ai certainement vu des prostituées dans ma vie, de manière fugitive dans le centre-ville de Montréal, mais jamais de près, jamais en chair et en os, à portée de la main. Elles sont trois tirant placidement sur leur paille, jetant un regard désabusé sur la salle à manger presque vide. Je ne peux m'empêcher de les regarder, de les examiner, de noter leurs gestes et leurs expressions. Ce n'est ni leur beauté, car elles sont belles, ni leur corps qui m'attirent, mais leur statut de prostituée, leur métier, leur acceptation de l'exploitation. Je suis contre le vol, mais j'accepte qu'on me vole un peu. J'approuve la prostitution légale, même si cette occupation me répugne. Nathalie me dirait : « Si tu veux comprendre, essaie. »

« Tu veux parler un peu, on dirait que tu es triste ? » Oui, je veux parler un peu, mais je ne suis pas triste, je suis curieux. Elle n'a pas attendu la fin de ma réponse et a commandé un whisky pour elle et un pour moi. Je m'appelle Claude, je suis canadien et je fais dans l'humanitaire. C'est bien, c'est beau. Je m'appelle Lolita et je suis étudiante en commerce, mais la vie n'est pas facile pour une étudiante. Les cours sont très coûteux. Elle a répondu à ma question avant même que je ne la pose. Et je la comprends car je sais fort bien que depuis que le Fonds monétaire international a mis la Côte-d'Ivoire sous sa loupe et un peu sous perfusion, les frais de scolarité ont augmenté radicalement. Elle n'est peut-être pas une vraie prostituée, juste une autre victime que l'injustice mondiale oblige à vendre son corps pour s'extirper de la précarité.

— Ça ne te dérange pas de vendre ton corps à des inconnus ?

— Non, je vais seulement avec des hommes que je trouve bien et avec qui je pourrais me fiancer. Ils me font des cadeaux. Dans ta chambre, on serait mieux pour parler.

Elle s'appelle Lolita et ses parents vivent en banlieue de Beijing. Je ne vais quand même pas croire ce
prénom. Je suis assis dans un fauteuil, elle marche de
long en large en répondant à mes questions insistantes.

— Lolita, ce n'est pas ton vrai nom?

Elle s'arrête devant moi et fait une moue boudeuse.

— Tu penses que je suis menteuse, tu ne me res-
pectes pas parce que tu es blanc et riche. Si je ne suis pas
assez bien pour toi, dis-le tout de suite et je vais m'en
aller.

Je proteste, j'adore ses yeux et sa taille fine et ses
jambes. Tu veux voir mes jambes? Et elle laisse tomber
sa jupe. Est-ce que tu aimes? Elle a abandonné la mine
boudeuse pour le regard taquin. Oui, j'aime, c'est très
beau.

— Tu es trop timide, j'aime bien les timides, tu as
besoin de te détendre.

Je ne ressens aucun désir, je me demande comment je me suis fourré dans un tel pétrin. Je ne veux pas
baiser avec une prostituée, mais elle est déjà complètement nue à genoux devant moi, défaisant ma ceinture,
descendant ma braguette.

— Je vais te donner du bonheur.

Je ne l'ai pas repoussée. Comment expliquer à une
femme magnifique, même une prostituée, que non, ce
n'est pas la jouissance qu'on cherche, mais la compré-
hension, l'explication, le sens?

Je me fais sucer gratuitement par une prostituée.
Je pense : ce n'est pas juste, je l'exploite, je profite d'elle.

Une fois le travail accompli, Lolita se rhabille rapidement, passe une main dans ses cheveux, puis tend l'autre.

— Un petit cadeau?

Je lui donne vingt euros.

— Vous êtes tous pareils, les Blancs, vous exploitez.

Je ne veux surtout pas exploiter le corps d'une femme, même menteuse. Le cadeau normal varie entre cinquante et cent euros selon la générosité du donateur. Je fis la moyenne, soixante-quinze euros. Lolita partit en disant à bientôt chéri. Le sommeil vint difficilement. J'oscillais entre le souvenir de la jouissance et la honte. Est-on obligé de jouer un jeu injuste pour prendre sa place? Qu'est-ce qu'un compromis productif et un compromis qui condamne à encore plus de compromis? Dois-je accepter de me faire détrousser pour aider ceux qui me détroussent? J'étais bien près de vouloir quitter l'Afrique après seulement douze heures.

Le lendemain matin, au petit-déjeuner, Lolita mangeait avec un Allemand tonitruant qui de toute évidence faisait le père Noël mieux que moi, car elle lui tenait la main et s'amusait à lui confectionner de petites bouchées qu'elle lui tendait du bout de la fourchette.

15

Catherine travaillait depuis quatre ans au centre de lutte contre le sida de Treichville, situé dans des locaux étroits et désordonnés au bout d'un corridor malodorant qui traverse le service de médecine interne de l'hôpital. Choléra à gauche, sida à droite. Les traits anguleux soulignés par le soleil qu'elle prend en marchant, mais certainement pas à la piscine, Catherine, maigre comme un chicot, est vêtue d'un boubou délavé comme si elle voulait afficher une pauvreté qui n'est pas la sienne ou une indépendance d'esprit qui risque de poser problème quand on remplit une fonction de représentation. Voilà pourquoi je porte un veston sombre et une cravate. Les vêtements sont des codes bien sûr, mais ils font partie des outils de travail. Est-ce que les vêtements sont des compromis comme celui que j'ai fait la veille? Elle me prévient d'entrée de jeu qu'elle s'est opposée à mon engagement comme responsable des relations juridiques avec les autorités locales, mais puisque je suis là…

— Écoute, Claude, ici on se tutoie, sauf avec les petits employés, les boys, les gardiens. Ils disent vous. On les tutoie. Ils préfèrent. Jusqu'ici, on s'est débrouillés sans conseil juridique, on s'arrange, on discute des heures, on fait des cadeaux (c'est dans le budget). Je fais des dîners chez moi et j'offre des bouteilles de whisky entamées. Le problème n'est pas qu'il n'y a pas de lois, c'est qu'il y en a trop. Comme le président décide de tout, les députés proposent des lois sur tout ce qui n'est pas important, les directeurs rédigent des règlements et les fonctionnaires qui ne travaillent pas demandent à des rédacteurs de créer des formulaires qui correspondent aux nouveaux règlements de la nouvelle loi. Chaque formulaire, chaque loi en apparence innocente n'existe pas pour rien. C'est un obstacle à franchir, un petit saut à effectuer jusqu'à un autre bureau et finalement jusqu'au patron de tous les bureaux qui acceptera de contourner la loi « ridicule », les règlements « trop bureaucratiques ». Le patron des bureaux, c'est parfois le ministre, parfois le premier ministre et quelquefois le président. Jusqu'ici, on a fait de l'artisanat. On se débrouille.

Catherine a les yeux sombres et fiévreux, des cernes tristes pour une femme d'environ trente-cinq ans. Elle semble porter sur ses épaules tout l'épuisement du monde. Ses traits émaciés me renvoient à Lolita, si joyeuse ce matin. Lolita, Catherine, Youssef, décidément l'Afrique ne m'emballe pas. Mais Catherine m'émeut. « Je t'invite à la maison ce soir, j'ai un bon cuisinier et du vin. » Les femmes esseulées reconnaissent les signes de l'émotion de l'homme comme des oiseaux migrateurs qui reviennent périodiquement dans le même champ de maïs pour se nourrir et poursuivre leur vol épuisant vers un autre continent.

J'adore faire plaisir. Je ne parviens ni à séduire ni à passionner, ne me restent que la politesse et la gentillesse pour maintenir des relations harmonieuses avec les humains. Catherine est malheureuse, seul son projet la motive. Le poisson est trop cuit. Elle boit à grandes gorgées, m'explique de nouveau l'Afrique. Tout ce qu'elle dit me terrifie. Rien ne fonctionne, tous corrompus, mais il faut s'y faire. Il faut intégrer la culture, s'y glisser, la respecter. Nous sommes déjà au lit et je fais mon devoir de plaisir, ce qui n'est pas désagréable. Elle pousse un gloussement de colombe ou de pigeon, je ne sais trop, et me dit : « Tu vas venir nous appliquer toutes les règles des bailleurs de fonds ? »

— Oui. Je vais appliquer les règles. Cinq mille doses de trithérapie qui valent chacune vingt mille dollars annuellement, ce n'est pas un mince cadeau. Je n'ai pas l'intention de voir une seule dose se retrouver sur le marché noir ou offerte en présent à un fonctionnaire malade.

— Fuck you, pauvre petit Blanc prétentieux. Tu veux tout changer avec ton aide !

Mais bien sûr ! Je menaçais l'Afrique de Catherine. Son Afrique n'avait pas besoin de ma bonne conscience et de mes règles de bonne gouvernance. Je n'ai jamais compris pourquoi les gens mélangeaient tout. On parle de cuisine, je sais bien que la cuisine reproduit les modèles d'exploitation agricole, les prix sur les marchés mondiaux, les pénuries, les histoires. Mais la cuisine comme sujet de conversation se suffit à elle-même, elle peut devenir poétique, évocatrice de souvenirs, de lieux, d'événements. Là, on venait de combler notre vide mutuel et elle me parle de bonne gouvernance. J'aurais préféré qu'elle me dise c'était pas génial et on recommence, je me serais efforcé, concentré sur mon érection, non, bordel, la bonne gouvernance! Vivement Lolita qui me volera, qui me trompera avec tout un chacun, mais qui ne me parlera pas de la Chine et de l'indépendance du Tibet. Je suis prisonnier de cette femme-mangouste qui traîne sa tristesse sur le continent noir. Rien ne me déséquilibre, sinon les femmes. Catherine m'attriste, me tue, mais je reste allongé contre son corps filiforme, je caresse du bout du doigt ses côtes. Comment partir au milieu de la nuit, à Abidjan, comment quitter un lit triste et inutile, une femme morose et qui, dans un dernier sursaut, me relance sur ma mission qu'elle supervise? J'ai envie de dormir, que je dis. Je pense à cinq mille doses de trithérapie pour le sida dont je dois assurer la livraison et la bonne utilisation par le centre hospitalier de Treichville. J'entends comme dans un cauchemar que Catherine m'aime bien et qu'elle espère que nous travaillerons efficacement ensemble. Lolita, je m'ennuie de tes mensonges simples.

16

Catherine, en versant le café, m'instruit comme un enfant. Elle se promène dans la cuisine, les seins pendants, et elle déclame. Ce spectacle est supportable durant la nuit, quand on est couché, qu'on embrasse, qu'on caresse, qu'on est plus ou moins emporté par l'erreur sexuelle. C'est ainsi que je qualifie mes aventures ou mes rencontres. Dès qu'on exhibe cette tristesse du corps sans retenue, c'est qu'on aime ou qu'on croit posséder. Je suis ainsi et tu m'aimes comme je suis. En me montrant en toute liberté son corps, Catherine déclare son amour présent, immédiat, son amour africain, passade, rencontre, sourire qui devient caresse. Dans cet amour, nulle règle n'existe. Seulement un rapport primaire entre l'homme et la femme. L'envie commande, le besoin aussi, tout comme le désir. Catherine explique. Respecter les règles même si elles semblent absurdes. Ne pas se surprendre de retards ou d'erreurs. Dire merci quand on veut gifler, approuver quand on veut tuer, faire le dos rond quand on blague à propos des Blancs. Je ne dis pas c'est quand même nous qui les finançons et qui payons leurs villas sur la Côte d'Azur. J'écoute, catastrophé, comment le Blanc coupable doit accepter tout du Noir. Et si le Noir est un voleur ? Les seins vides de Catherine disent que cela n'a pas d'importance. Son chauffeur me mène à mon rendez-vous.

L'ascenseur ne fonctionne qu'une fois sur deux, m'explique le directeur du protocole. Il ne dirige rien, le monsieur qui n'est qu'un pion assis derrière une table de bois, rien sinon deux jolies filles, dont une est chargée de me mener à l'ascenseur qui fait face au bureau du protocole et sur lequel il est inscrit : « Obligation de passer par le bureau du protocole. » Elle ouvre la porte, appuie sur le numéro 6 et referme la porte. Rien ne bouge. La cage se transforme en cellule car je ne parviens pas à rouvrir la porte de l'ascenseur. Je me raisonne. Cela est normal, prévisible. Nous, Occidentaux, sommes trop habitués à une efficacité technologique. Une sorte de magie immédiate. Nous ignorons le délai, l'attente. Après dix minutes dans ma cage, je cogne poliment, espérant qu'un membre du protocole entendra et me dirigera vers l'escalier car je suis dorénavant en retard pour un rendez-vous très important avec le directeur de cabinet du ministre de la Santé.

Je cogne un peu plus fermement et, après vingt minutes, je hurle. L'hôtesse ouvre la porte et m'explique qu'il faut peser deux fois sur le bouton. Et pourquoi on ne peut ouvrir la porte de l'intérieur ? Pourquoi ? Elle ne sait pas, mais il est évident qu'elle ne comprend pas que je ne sache pas et il y a trop de pourquoi dans mes propos. J'appuie deux fois sur le 6. L'ascenseur monte par coups comme s'il souffrait de syncopes et s'arrête au cinquième étage dans un hoquet de chaînes. J'emprunte l'escalier pour me rendre au sixième. Encore un directeur du protocole derrière une table nue. Il me prie de m'asseoir dans un fauteuil usé. Je reste debout et explique que je suis en retard pour cause d'ascenseur. Il ne m'écoute pas et remplit un formulaire, me demande mon passeport. Il s'applique, remplit dix lignes d'informations et m'annonce qu'à cause de mon retard je devrai attendre que le chef de cabinet soit libre ou encore revenir un autre jour s'il doit s'absenter pour une tâche importante. J'attends deux heures avec mon ordre de livraison de cinq mille doses de trithérapie dont la valeur équivaut à la moitié du budget du ministère de la santé de la Côte-d'Ivoire.

Le chef de cabinet n'explique rien, il ne s'excuse pas des deux heures d'attente. Il est parfait, il correspond à toutes les caricatures. Il parle en paragraphes, exhibe ses dents de prédateur, rit de ses blagues, joue du téléphone, regarde sans cesse sa Rolex dorée. Il installe son piège, mais je ne le sais pas. « Vous savez que l'importation de médicaments est régulée. » Oui, je le sais. J'ai mémorisé toutes les lois relatives aux médicaments. Et il existe une loi qui soumet l'importation d'un médicament à l'Autorité médicamentale. Je ne suis pas con, j'ai tout vérifié et l'Autorité ne possède aucun laboratoire. Je fais Catherine un peu. « Nous pouvons vous donner un échantillon pour vos vérifications. » J'apprends alors que scientifiquement, pour bien vérifier la qualité d'un médicament, un minimum de cinq cents échantillons est nécessaire, un dixième du don canadien! Tu me prends pour un con, Maximilien. Il s'appelle Maximilien. Je lui fais remarquer que ce nombre ne semble pas correspondre aux normes de nos organismes de contrôle. Mais, vous savez, le climat est différent ici, les produits ne réagissent pas de la même manière. Faites-nous confiance, nous aimons beaucoup le Canada. J'essaie de faire ma Catherine, d'accepter les règles du jeu, et je négocie comme on m'a dit de négocier dans les marchés. Nous sommes dans un marché.

— Je crois que vos laboratoires pourront se satisfaire de dix échantillons.

Le chef de cabinet compose un numéro et cause en langue locale.

— Le directeur du laboratoire pense qu'il peut s'arranger avec trois cents doses.

— Vous n'avez pas de laboratoire, monsieur le chef de cabinet.

Je ne fus pas expulsé de la Côte-d'Ivoire, je fus rapatrié. Catherine m'expliqua que j'avais mis en danger les relations entre son ONG et les deux gouvernements, que l'Agence canadienne de développement international ainsi que l'ambassade canadienne souhaitaient un représentant plus souple et plus au fait des modes de fonctionnement locaux. Pour un peu de plaisir, je me résignai à payer cent euros pour une pipe rapide de Lolita, qui me dit que c'était un cadeau correct, mais que les frais d'université augmentaient depuis que les Blancs contrôlaient le pays. Je croyais qu'elle fréquentait une école commerciale privée.

Cette rupture de contrat me valut une lettre de recom-
mandation élogieuse de mon ONG. Ce fut le compromis, je ne disais rien sur le fait que j'avais refusé la corruption et les autorités ne mentionnaient pas mon
comportement pour le moins irrégulier d'après leur
code de conduite. Cette lettre, les quotas internationaux et mes diplômes m'ont mené ici à La Haye. Je suis
analyste P2 au bureau du procureur depuis trois ans.
Je suis à la Cour pénale internationale, j'ai trente-cinq
ans, je crois en la justice. Un jour, ce con de chef de cabinet qui a voulu voler cinq cents doses de trithérapie,
je le mettrai peut-être en prison. Le vol de la santé des
autres devrait être inscrit dans la liste des crimes contre
l'humanité.

Rien n'est simple, surtout pas la justice.

La Haye me convient, mais pas ses habitants de souche comme on dit chez moi. Cette ville me ressemble. Patiente et ordonnée. Elle suggère sa personnalité, mais ne l'affirme pas trop. Elle préfère se laisser découvrir. Peu aventureux, j'ai choisi un quartier ou plutôt une rue, Denneweg, une rue d'antiquaires, de boutiques à la mode et de restaurants. J'ai fréquenté patiemment les commerces et les restaurants comme si je menais une méticuleuse enquête pour la Cour. Je me suis fait ainsi plusieurs connaissances que je considère comme des amis. Les amis d'exil ne seront jamais que des connaissances.

Dans une rue branchée de la vieille ville, on trouve une Chinoise qui vend des produits italiens. Je lui ai fait une cour idiote qu'elle a ignorée comme le gouvernement chinois fait mine de ne rien comprendre aux droits de la personne. Plusieurs boutiques d'antiquaires avec de jolis tableaux naïfs que j'achèterais si j'avais maison et femme. C'est beau de rêver ainsi devant une vitrine. J'adore rêver même si je ne suis pas romantique. Et puis, il y a les restaurants. Je les fréquente presque tous. Fiesta Latina, Maxime, Limon. Je promène mes dossiers avec moi et j'espère une rencontre. Rien ne vient, mais j'avoue que je suis plutôt réservé. Je passe dans un bar à vin où les gens les plus tristes de la terre se connaissent et se réunissent. Ce sont des hommes, tous importants et riches. On parle de nos vies ailleurs, de nos voyages, les femmes passent comme des éclairs dans le ciel. Je finis généralement ma soirée chez Hothard, un bar flottant sur un canal qui sépare l'ambassade américaine et la française. J'y prends un café, croule dans mon fauteuil de rotin, j'écoute et je réfléchis. Parfois la complexité d'un dossier ou des palpitations dont je ne connais pas la cause créent une angoisse que je ne parviens à apaiser qu'avec du vin. Rien de grave.

Le silence. Pas de klaxons, de crissements de pneus, de sirènes. Une ville silencieuse et ordonnée, calme et paisible. Un canard noir avec une tache blanche sur la tête, celui qui ressemble au Vilain petit canard, fait des sprints de dix mètres sur le canal. Dans le ciel, les nuages avec la même précipitation fuient la mer du Nord vers la chaleur du continent. Le bar tangue parfois et donne l'illusion de naviguer sur un chemin tranquille. Le long du canal, deux rangées d'arbres de forme identique s'élèvent à une hauteur égale. Les maisons ne rivalisent pas pour se distinguer. Leurs façades demeurent sévères, mais si on observe bien, on remarque quelques légers détails, des frises, des ornements de fer forgé, la disposition des ouvertures, le style des portes et même de fausses chandelles qui parent les entrées. Ces petites marques personnelles, mais toujours discrètes, disent au badaud que toutes les maisons sont construites sur le même sol, avec un besoin semblable de solidité et de lumière, avec la même volonté de préserver des regards la vie derrière les briques, mais qu'on ne saurait jamais confondre deux maisons. Elles se présentent comme des mannequins dans une vitrine qui portent les vêtements d'une même collection, mais ornés d'accessoires différents. Ils sont ainsi, les Hollandais, comme leurs habitations, conformes, exprimant leur individualité dans quelques détails choisis avec soin. Je n'aime pas les Hollandais de La Haye.

Autant on pourrait déduire de leur architecture, de l'ordonnancement du paysage et de leur organisation sociale que le Hollandais est respectueux de l'environnement, poli et sociable, autant le Hollandais moyen est le contraire de son pays. Et j'inclus les femmes dans mon Hollandais générique. Le Hollandais est bruyant, vulgaire, impoli. Peut-être parce qu'il est un incorrigible libertaire, il ne conçoit pas que le service à la clientèle requière une certaine forme d'abnégation et de respect pour le client. Le client ici est un travailleur qui peine pour se faire servir et, s'il réclame un peu d'attention, il risque fort de se faire insulter. Sur un vélo, le Hollandais est un kamikaze japonais qui cherche le piéton en criant « Banzaï » à la vue d'un navire à couler. Sur le trottoir, le Hollandais fait barrage, avec son vélo, sa poussette, sa copine ou son copain. Quand vous dites pardon pour vous frayer poliment un chemin, il vous regarde comme si vous veniez d'envahir son pays et vous comprenez que mieux vaut emprunter la rue. Les Hollandais ressemblent à leur climat. Vents en bourrasques violentes, pluies soudaines, bruines persistantes, grisaille et, parfois, soleil, ce qui ne les rend ni plus joyeux ni plus souriants. Heureusement que des immigrants travaillent dans les commerces et les établissements. Indonésiens, Sumatrais, Surinamais, des sourires cuivrés et chaleureux, mais qui tous parlent cette horrible langue gutturale et rébarbative qu'est le néerlandais.

Mais finalement, je n'en suis pas trop malheureux, ni des Hollandais, ni de ma solitude. Si j'étais au Brésil, je passerais tout mon temps libre à la plage ou à écouter de la musique. En France, je dépenserais une fortune au restaurant. À Barcelone, j'arpenterais les *ramblas* jusque tard dans la nuit et irais manger une friture de poisson vers quatre heures du matin. Chez moi, je ferais la rue Saint-Denis, l'avenue du Mont-Royal ou la rue Saint-Viateur, certain de rencontrer des amis, sinon des connaissances, de partager avec les femmes seules quelques codes en commun, quelques références qui permettent de mieux se guider dans le dédale des relations amoureuses ou occasionnelles.

Je prends donc mes petits plaisirs qui ne sont pas sans piquant même s'ils semblent minuscules et je travaille le reste du temps. Cela est bien car ce que j'accomplis est important. Je peux consacrer toutes mes énergies, toutes mes pensées à ma mission, et parfois je me demande si un homme heureux pourrait y mettre la même énergie que moi. Cela dit, je ne suis pas malheureux, je suis occupé. Et j'accomplis une tâche importante. Du moins, j'en suis convaincu.

20

Entre l'hôtel et l'édifice de la Cour se déploie un joli
parc traversé par un canal peuplé de canards et de
cygnes. Le parc fait illusion. Dès qu'on en sort, deux
tours blanches de quinze étages, froides comme des ice-
bergs, pointent devant une autoroute bruyante. L'édifice intimide au premier abord, et c'est d'un pas hésitant que je montai la dizaine de marches qui mènent à
une porte tournante derrière laquelle on découvre un
portique de sécurité comme dans les aéroports. Les
procédures d'identification, la photo pour la carte
magnétique, tout cela m'impressionna. Je pénétrais
dans un endroit important et, sur le coup, je pensai que
je visais trop haut. Après mes premières rencontres,
je rentrai tremblant à l'hôtel. Je ne dormis pas de la
nuit. Le lendemain, le procureur me décrivit avec plus
de détails quelle serait ma tâche. Je devrais rédiger
des documents de synthèse sur Thomas Kabanga, un
homme dont je n'avais jamais entendu parler, qui était
accusé d'avoir conscrit et utilisé des enfants soldats. Des
centaines de documents de l'ONU, de différentes ONG,
des entrevues vidéo avec des témoins des crimes allé-
gués, des articles de journaux, des entrevues à la radio,

j'avais des milliers de pages à consulter et des millions de mots à entendre. Le travail qu'on me demandait me semblait démesuré. Et puis, au fil des rencontres, des longs déplacements dans les corridors pour signer des formulaires, des accords de confidentialité, j'en vins à la conclusion que je ne pouvais travailler dans cet environnement. Trop de jolies femmes, et surtout trop de jolies femmes qui promènent leur indépendance comme des amazones, qui regardent droit dans les yeux et répondent « envoyez-moi un mail » quand on propose un café innocemment, juste pour ne pas être seul toute la soirée. Ces femmes sont trop compliquées pour moi, plongées dans les crimes et les exactions, elles imaginent le pire. C'est ainsi que j'ai décidé de m'installer au Mövenpick et de travailler dans ma chambre, disant à mes patrons que je ne serais toujours qu'à cinq minutes de train s'ils voulaient me rencontrer. Financièrement, ce n'est pas très rentable, mais je suis libéré de tout souci ménager. L'hôtel m'interdit de prendre racine, je demeure ailleurs, donc rien n'intervient dans ma recherche de la vérité sur Thomas Kabanga.

21

J'ai demandé à l'hôtel d'enlever le miroir qui surplombe la table de travail et je l'ai remplacé par un poster de Kabanga. Quand je m'installe devant mon ordinateur, je le regarde et dis : « Je t'aurai, Kabanga. » Et quand je m'interroge, je regarde le poster. Il a mon âge et est le premier accusé devant la Cour pénale internationale, un personnage historique accidentel, emprisonné ici parce qu'il a trop désiré et fait tous les mauvais choix. Nous sommes tous les deux dans la même cour des accidents, lui de l'Histoire, moi de la vie. Plus je le regarde, plus je l'étudie, moins j'ai de sympathie pour lui, moins je lui trouve de circonstances atténuantes. Il est ici parce qu'il a désiré le pouvoir. Je suis ici parce que je n'ai aucun pouvoir sur la vie, sinon cette faculté d'analyser les complexités de l'évolution politique, ce qui n'a aucun rapport avec la vie. Devant lui qui a meurtri des milliers de vies, je ne suis qu'une fourmi besogneuse dépourvue de projet. Parfois, je me sens inférieur à lui. J'ai craint la violence de la vie. Kabanga s'y est jeté. « Il mit son pied sur la tête de l'enfant qui hurlait et de sa botte rwandaise pesa fortement. » Nous ne pouvons pas utiliser ce passage durant le procès car nul témoin ni aucun document ne peut prouver que la botte était rwandaise, que l'enfant n'avait pas commis une faute punissable. Impossible aussi de prouver « fortement » et aussi « hurlait ». Ce travail n'est pas simple. Je vois bien sur la photo que l'enfant hurle, mais cela ne suffit pas. Nous savons tous qu'il est coupable, mais la justice ne le sait pas encore. Je l'avoue, Kabanga occupe toutes mes pensées. Je suis un monomaniaque et je pourrais peut-être constituer un danger pour la société si cette obsession avait quelque autre objet humain. Je vis avec cet homme. Il ne m'obsède pas cependant, je ne rêve jamais de lui. Je l'observe, l'analyse, le dissèque, le retourne, le soupèse, le met en question comme un biochimiste travaille sur une molécule prometteuse, désespère de ses premiers résultats, mais, certain de son intuition, poursuit le fractionnement de la molécule, la combine avec d'autres éléments. Dans la lentille du microscope apparaîtront toute la beauté et la complexité de cette molécule, et puis un médicament peut-être et des gens qui ne meurent plus. Ce scientifique qui gagnera un prix Nobel ne souffre pas d'obsession, il travaille, fait son métier. C'est ce que je fais avec Kabanga. Je fais obstinément mon métier.

C'est un bel homme, je peux imaginer comment très jeune ses yeux perçants et son front volontaire pouvaient impressionner les jeunes filles. Nous ne pourrons pas le dire à la Cour, mais nous le savons, Kabanga séduisait toutes les filles qu'il croisait. Nous avons une entrevue avec une certaine Martine qui prétend avoir eu un enfant de lui. Elle affirme que Kabanga l'a battue quand elle lui a montré son ventre pas encore très gros. Comment peut-on battre une femme qui porte son enfant ? La jeunesse peut expliquer l'inexplicable. Je lui cherche des portions d'humanité. Je ne crois pas au mal absolu.

Je croyais qu'on me confiait l'analyse d'un grand criminel, car la Cour ne fait pas dans les petits voleurs de grand chemin. J'adore cette formule facile. Kabanga est pourtant un petit criminel, un homme très ordinaire responsable de très grands crimes, des crimes contre l'humanité. Je me suis penché sur son enfance. Peut-être y trouverai-je des indications, des drames qui expliqueraient son parcours. Rien, pas un indice qui en fasse durant l'enfance un homme destiné à être emprisonné à La Haye. Des témoignages plutôt vagues et inconsistants en font un enfant brillant ou tumultueux, rarement les deux en même temps. Je regarde la photo. C'est un homme sûr de lui dont le regard défie la caméra. Mais si on lit sa biographie, cet homme est bêtement ordinaire. Ce sont ses actes qui le rendent exceptionnel. Élève assez brillant pour prétendre au collège, mais pas suffisamment pour être accepté dans une grande faculté comme le droit qui mène à la fonction publique, ou la politique ou encore la médecine qui ouvre les portes de la richesse, Kabanga a choisi à l'université de Kisangani de faire des études en psychologie. Cela dit beaucoup. Il désire plus le diplôme qu'un emploi. Je note : « besoin de reconnaissance et de statut ». Le diplôme universitaire, peu importe sa valeur, confère automatiquement en Afrique le statut d'intellectuel à celui qui le détient. Quelques témoignages racontent comment, durant ses études, Kabanga, dans les cafés et les restaurants, prétendait déjà être psychologue et donnait ainsi à la sauvette, pour quelques francs CFA, des consultations. Cette preuve de malhonnêteté intellectuelle, nous ne pourrons pas l'utiliser durant le procès, mais il serait intéressant de la distiller à petites doses pour que les juges comprennent que Kabanga est un fourbe et un menteur.

Évidemment, à Bunia, personne ne consulte un psychologue, surtout formé à l'université de Kisangani. Mais la fréquentation de l'école, du séminaire et de l'université, le diplôme, la faculté de parler en longues phrases de psychologue impressionnent tous ceux qu'il rencontre. C'est un monsieur pour certains, un magnifique roublard pour d'autres. Il pavoise, fait des ravages dans la population féminine de Bunia. Je le sais, nous avons des témoignages, il n'a qu'à lever le petit doigt et la serveuse se glisse dans son lit, la marchande aussi, la secrétaire de son patron. Ces témoignages sont-ils crédibles ? Difficile à dire, car ils sont souvent le fait de femmes séduites par Kabanga, mais déçues de toute évidence de ne pas avoir été choisies comme épouse. Quand je compile et examine ces témoignages, je quitte le domaine juridique. Les aventures de Kabanga ne sont d'aucun intérêt pour la cause que j'instruis. Je commence à régler des comptes à distance avec cet homme que je méprise. Les émotions perturbent l'analyse.

J'ai étudié pour devenir ce que je suis : analyste à la

Cour pénale internationale. Kabanga a étudié pour devenir psychologue. Si je vendais des souliers ou si j'étais chauffeur de taxi, j'éprouverais un certain sentiment de frustration, de faillite. Pas Kabanga. Il est allé à l'université parce qu'il voulait devenir intellectuel. Il n'a pas choisi la psychologie parce qu'il souhaitait soigner les maux de l'âme, parce qu'il voulait soulager les enfants terrorisés par les légendes ou les guerres. Il a fait psychologie parce qu'il ne pouvait pas faire médecine ou droit. Ce qui l'intéresse, un ami d'enfance en a témoigné, c'est le pouvoir et l'argent, mais surtout le pouvoir. Il adore vendre des haricots secs, discuter du prix avec le major ougandais chargé de l'approvisionnement qui lui explique que le marché de l'or est plus intéressant. Ils sont devenus amis à force de tromper mutuellement leur patron respectif. C'est ainsi que les guerres se préparent. Un major qui dit à un psychologue que si lui et ses amis pouvaient prendre le contrôle des mines d'or, tout le monde serait plus riche. Le major insiste pendant que les filles rôdent autour de ces deux riches. Ils mangent une pizza et boivent du whisky dans un restaurant, propriété d'un Libanais qui possède aussi un comptoir d'or. Kabanga fait signe à Marguerite, une pute, et lui dit de venir le rejoindre plus tard. Marguerite est aux anges. La nuit vient de tomber comme une chape de plomb, d'un seul coup, comme si la nuit était un coup de poing, une massue. Karim, le Libanais, s'assoit. « Thomas, tous les commerçants hema ont des petites milices, quelques dizaines d'hommes armés, pourquoi ne pas les réunir et une fois pour toutes régler ce problème de terres avec les Lendu ? Tu parles bien, on te respecte, les Ougandais te font confiance. » Le major fait oui de la tête et ajoute : « Tu formes un parti, tu réunis tous ces gens, on vous entraîne et vous prenez le contrôle de l'Ituri, puis on partage, les diamants, l'or, le coltan. » Les trois boivent une bouteille de Johnny Walker Black Label, ils se donnent des tapes dans le dos. Marguerite est impatiente et s'approche de Kabanga en faisant signe qu'elle veut partir. Le psychologue se lève lentement, s'approche d'elle et d'un direct puissant et lourd à la mâchoire, il l'assomme. Puis il se rassoit et commande une nouvelle bouteille de whisky. Nous savons que la jeune femme ne s'est jamais relevée, mais Kabanga ne sera pas jugé pour ce meurtre qui ne relève pas du statut de Rome, mais de la justice criminelle locale.

Je n'aime pas cet homme. Je ne le respecte pas, il ne possède aucune qualité intellectuelle, il n'a pas de projet politique réel. Mais par souci de justice et d'équité, j'essaie de lui trouver des circonstances atténuantes. Je cherche, je cherche, je réfléchis, j'analyse et je n'en trouve qu'une qui convienne à mon esprit occidental, la pauvreté. Mais, bordel, toute l'Afrique est pauvre, donc tous les Africains sont en droit de devenir des criminels. Cela ne tient pas la route. Et puis, il n'était pas vraiment pauvre. Il a pu faire des études. Je ne crois pas que cet homme soit un criminel tordu, un monstre, un meurtrier en série comme Hannibal Lecter dans *Le Silence des agneaux*. À la limite, ces gens sont des désaxés, des fous, des cas psychiatriques. Non, Thomas, je le tutoie lorsque je travaille sur son cas, commet des crimes comme un fonctionnaire ou un bureaucrate remplit des formulaires ou ferme un guichet devant une file d'attente pour aller prendre son café. Il n'est pas mû par des pulsions irrépressibles, par des fantasmes incontrôlables. Le crime n'est pas un objet, mais un outil, un moyen mécanique d'obtenir ce qu'il souhaite. Cela me le rend encore plus répulsif. Un homme ordinaire, des milliers de morts, trois mille enfants soldats. Tout cela accompli, pensé, organisé dans un calme absolu, sans haine réelle, sans émotion. La froideur du crime, cinglante et coupante comme le blizzard de février.

J'ai un classeur « viol ». Si je prends tous les témoignages au sérieux, Kabanga viole une femme par semaine durant deux ans. Si une des filles soldats avait témoigné d'un viol, nous aurions pu utiliser cette facette de sa personnalité contre lui. Mais non. Les deux jeunes filles qui vont témoigner contre lui vont nous expliquer comment elles ont été kidnappées, puis lancées dans les combats et, dans le cas de l'une d'entre elles, obligée de lier les couilles d'un prisonnier avec du fil électrique et de serrer jusqu'à ce que les couilles tombent. Elle pleure tellement quand elle raconte cette histoire que le procureur n'est pas certain qu'elle pourra témoigner efficacement. J'ai accumulé mille choses dans mes dossiers et mes mémos sur Kabanga, mais bien peu seront admissibles comme preuves de sa culpabilité durant le procès. La justice ne se préoccupe pas de la méchanceté et les juges n'ont pas à apprécier les qualités ou les défauts de l'accusé, mais sa responsabilité dans les crimes.

Cet homme est méchant, foncièrement teigneux. Il prend plaisir à dominer et à humilier sans raison apparente. La méchanceté m'obsède car c'est une forme de petitesse, de médiocrité, comme une saleté, une crasse de l'humain. Je ne pense pas en ce moment aux crimes graves dont il est accusé, mais à son comportement quotidien, à Kabanga dans ses gestes d'homme normal, de commerçant, de client dans un restaurant, d'amant puis de mari, dans ses rapports avec les domestiques ou les passants dans la rue.

Témoignage de Marie, serveuse :
« Je suis étudiante. C'était mon premier jour de travail comme serveuse. M. Kabanga est arrivé et m'a demandé de faire changer de place trois clients qui mangeaient à sa table préférée. J'ai répondu que je ne le pouvais pas. Il m'a traitée de pute et est allé voir le patron, qui s'est empressé de satisfaire à sa demande. Ses deux gardes du corps, des garçons de treize ou quatorze ans que je connais de l'école, m'ont aussi traitée de pute. Il a commandé une pizza à l'américaine. Je ne fais pas la différence entre les pizzas. La pizza que je lui ai servie n'était pas celle qu'il avait commandée. Il a saisi brutalement mon poignet et l'a tordu au point presque de le briser. Puis il est allé voir le patron dans son bureau. J'ai été congédiée sur-le-champ. Dans la rue, ses gardes du corps m'ont prise par le bras et m'ont emmenée à sa

maison. M. Kabanga m'a présentée au commandant Komo et le commandant Komo m'a violée. »

De ce témoignage, seule la présence de deux enfants soldats importe sur le plan juridique. C'est tout le reste qui me dégoûte. Pour le viol, il n'existe aucun témoin. Mais je la crois.

Le train de 23 h 59. Parfois, le désarroi s'empare de moi et je m'imagine dans un train qui me mène vers quelqu'un que j'aimerais tendrement, correctement, comme les femmes souhaitent être aimées. Parfois, je pense à une maison, à un enfant qui pleure, à un petit jardin. Parfois, je pense au bonheur. Puis je me remets à mon travail.

Kabanga, tout éloquent et confiant qu'il était, souffrait d'un énorme complexe d'infériorité sociale. À Bunia, les grands commerçants, les propriétaires terriens puissants sont des Hema du Sud. Kabanga venait du Nord.

Témoignage d'Aristide, employé de Kabanga :
« Quand il s'est installé à Bunia après ses études, il ne possédait que son diplôme et ses belles paroles. Il en connaissait beaucoup de bonnes paroles. Il visita tous les grands marchands, les chefs de la communauté hema. "Vous ne voyez pas que les Lendu vont prendre le contrôle de la région ? Ils sont unis, eux, nous, nous sommes divisés. Il faut unir tous les Hema de l'Ituri et reprendre le contrôle de nos terres, de notre or, de notre coltan." Les marchands s'étaient contentés jusque-là

d'engranger les profits, d'acheter les juges en cas de conflit. Ils disposaient chacun d'une garde armée composée de jeunes hommes désœuvrés qui maniaient le pistolet surtout pour impressionner. Kabanga a proposé de transformer ces petits groupes en une milice nationale, de les entraîner, d'en faire de vrais soldats et de s'imposer ainsi comme le seul interlocuteur valable pour l'occupant ougandais qui, selon ses besoins, appuyait un jour les Hema et un autre les Lendu et leurs alliés. Les Ougandais, vous le savez, monsieur l'enquêteur, étaient chez nous pour assurer la paix, mais la paix, ça ne nourrit pas son homme. Ils cherchaient un moyen de profiter de nos richesses. Tout le monde a voulu nous voler nos richesses et tout le monde a réussi. Regardez comment nous vivons dans cette province d'or et de diamant. Bon, d'accord, tout le Congo est comme ça, un pays riche dont toutes les richesses partent en voyage. Kabanga a expliqué au commandant qu'il pouvait former une armée qui serait au service de l'Ouganda. Kabanga négociait des deux côtés. Il prenait de l'argent chez les marchands et chez les Ougandais. C'est ainsi qu'il ouvrit son commerce de haricots secs et puis son comptoir d'or et qu'un jour on annonça dans le journal que l'Union patriotique des Congolais avait été fondée, qu'elle allait former une armée régulière et réclamer un statut de province autonome. Kabanga s'amusait beaucoup. Quand il rentrait un peu ivre après ses tournées dans la ville, il racontait en s'esclaffant comment on mangeait dans sa main, comment il réussissait à les manipuler, les Ougandais, les Hema, ceux du Sud en particulier qui se prenaient pour de grands seigneurs. Mais lui, il les aurait à sa botte. Puis il montrait un moustique mort sur la table. "Aristide, tu dormais ou quoi aujourd'hui? C'est quoi, cette bestiole sur ma table? Viens ici. Lèche!" Et je lavais la table avec ma langue pendant qu'il faisait des blagues. "C'est moins bon qu'une femme, Aristide, mais c'est mieux que rien. D'ailleurs tu n'es rien." C'est pour une raison semblable que Mme Kabanga a tenté de le tuer, tellement il l'humiliait, lui imposait des tâches de domestique. Il lui demandait de se mettre nue et de s'enduire de savon puis de laver le plancher avec ses seins et son ventre. Il riait sans cesse pendant qu'elle se frottait sur le plancher et il a ri encore plus quand la balle l'a raté. "Pas foutue de tirer correctement, une vraie femme." Il l'a battue rondement et l'a mise à la porte, toute nue. "Tu vas certainement trouver un client habillée comme ça!" Mme Kabanga a été remplacée rapidement par une jeune fille qu'il humiliait de mille manières que je ne veux pas dire parce que cela offense ma pensée. Pourquoi je suis resté à son service? Monsieur l'enquêteur, vous venez décidément de loin. J'avais un job et le patron payait régulièrement. Les humiliations font partie de la vie comme le soleil qui est presque toujours là, comme les grillons ou la pauvreté. Quand on est africain, si on veut survivre, il faut devenir philosophe. »

Je comprends leurs mots, mais ils ne résonnent pas dans mon cœur. Je ne sais rien de la véritable douleur, de l'humiliation, de la résignation. Je ne sais rien dans mon corps de la tragédie du monde. Je demeure un analyste, un témoin, une sorte d'interface. Comment vivre? Le dernier train est passé, il doit être trois heures du matin.

Témoignage de Josué:

« Je vendais des cigarettes devant le restaurant libanais où M. Kabanga mangeait souvent à la terrasse. Ce n'était pas mon envie de vendre des cigarettes, mais mes parents m'avaient retiré de l'école. Ils n'avaient plus d'argent. Je me disais que je me ferais peut-être assez d'argent pour retourner à l'école. Je vendais aussi des briquets et des condoms, mais les condoms, c'est populaire seulement avec les Blancs. Mon rêve, c'était de faire de la musique, du rap. On avait formé un groupe, on avait enregistré une cassette que je vendais aussi en même temps que les cigarettes. M. Kabanga était devenu un chef. Il était toujours accompagné de jeunes gardes du corps, certains étaient mes amis et ils me montraient leur kalach en faisant claquer le cran de sûreté. Je ne les enviais pas parce que je ne pensais qu'à faire de la musique et à me rendre à Kinshasa. Vous connaissez MC Solaar? Ce jour-là, M. Kabanga dînait avec un militaire ougandais important. Il est venu m'acheter un paquet de Marlboro. "Tu t'appelles Josué, je le sais, et tes parents me doivent de l'argent. Il faut que tu viennes travailler avec moi pour rembourser leur dette." Il n'a même pas payé son paquet de cigarettes. En fait, il a pris toute la boîte. C'est comme ça que je suis devenu ce que vous appelez un enfant soldat. Au début, ce n'est pas trop difficile. On fait des exercices physiques comme à l'école, on rampe sous des barbelés, on escalade des petits murs de bois, on chante des chansons qui disent que les Lendu sont des démons. Puis on nous remet un fusil en bois, on parade, on écoute des discours méchants sur les Lendu. Je ne savais pas que les Lendu mangeaient les enfants des Hema. On est assez fier de soi, on est bien nourri et on est entre amis. Je me disais que l'argent viendrait bientôt sans m'inquiéter. C'est quand on tire de la kalach pour la première fois qu'on découvre que c'est sérieux et qu'on n'est plus des enfants vraiment. Les premières fois, on vise des troncs d'arbres, juste pour apprendre à maîtriser le fusil, à le tenir correctement et d'une manière stable. Puis, ils installent des mannequins de paille à cinquante mètres. Je tirais bien, me disaient les instructeurs ougandais. Une courte rafale et le mannequin est complètement désintégré, il vole en éclats, en pièces détachées. Je me suis demandé en tremblant si ça ferait la même chose à quelqu'un comme moi qui suis quand même plus solide qu'un mannequin de paille. Oui, ça fait la même chose. Je l'ai vu une fois dans l'attaque pour prendre le contrôle des mines d'or. J'ai tiré et l'homme a fait des gestes comme le mannequin. Les deux bras en l'air, le dos projeté vers l'arrière, des morceaux de chair qui volent. J'espère que je n'ai tué personne d'autre. Mais j'ai fait pire et je n'en dors plus. À la demande de M. Kabanga, j'ai tiré dans l'anus d'un prisonnier. Toutes les nuits, j'entends ses hurlements comme ceux d'une hyène prise dans un piège empli de pointes qui ne la tuent pas mais qui la font mourir lentement. On devrait tuer rapidement. Je me suis enfui. Quand je suis retourné au village de mes parents, le village avait été détruit. Un vieil oncle qui avait refusé de bouger et qui vivait toujours dans sa case incendiée m'a dit que mes parents avaient honte de moi et qu'ils m'avaient renié. J'aime beaucoup mes parents et ce que j'ai fait, c'est pour eux que je l'ai fait, alors comme je ne peux pas le leur dire, je vous le dis à vous, monsieur l'enquêteur, et peut-être qu'ils l'entendront, je ne sais pas, à la télévision peut-être ou à la radio. La radio, ce serait mieux. Mon père a un transistor. Mais je pense que je ne pourrai jamais plus faire de musique. »

22

Il est trois heures du matin. Chaque fois que je relis le témoignage de Josué, je pleure. Je n'ai même pas une photo de lui. Je ne sais pas s'il est grand ou petit, maigre ou costaud, mais je l'aime. J'aimerais bien entendre sa cassette. Au procès, on ne révélera même pas son prénom. Seulement son âge au moment des événements. Il n'aura pas vraiment son heure de vérité publique. Il faut protéger les témoins, c'est une obsession ici. Nous sommes peut-être dix à la Cour à connaître son prénom. Par contre, Josué pourra regarder droit dans les yeux M. Kabanga, ce ne sera pas facile pour la victime qu'il est, et dire : « Vous m'avez volé ma vie, monsieur Kabanga. J'étais un enfant, je ne suis plus rien. » Non, ce n'est pas ce qu'il dira et, s'il le faisait, la défense formulerait une objection et les juges approuveraient. Le vol d'enfance ne constitue pas un crime. Josué ne comprendrait pas pourquoi il n'a pas le droit de dire la vérité telle qu'il la vit, la vérité toute simple. Il ne comprendra pas non plus pourquoi M. Kabanga est aussi bien habillé, alors que lui est vêtu comme pour vendre des cigarettes à Bunia, juste en un peu mieux. Il se demandera pourquoi toutes ces palabres et ces politesses et pourquoi des messieurs blancs l'interrogent comme si c'était lui le criminel. Pauvres enfants que nous allons soumettre à la torture du droit et non pas à la libération de la justice.

Je m'égare, je le sens. Je m'éloigne de mon approche méthodique et rationnelle. Comment concilier la recherche de la vérité et la légalité ? C'est la première fois que je me pose cette question, la première fois que je pense que les statuts et les procédures, les balises légales, ne garantissent pas l'administration de la justice. Et si le droit n'était qu'un exercice intellectuel sans rapport avec ce qui est juste, décent et évident ? Kabanga est coupable. Des centaines de milliers de personnes ont vécu dans leur chair cette culpabilité. Pourquoi faudrait-il la prouver hors de tout doute raisonnable comme dans le procès d'un meurtrier ordinaire ? Le doute raisonnable de qui, des milliers de victimes ou de trois juges distants et froids qui n'ont jamais mis le pied en Ituri ?

23

Le téléphone sonne. « Je peux venir ? »

Myriam et moi avons conclu un contrat. Elle se méfie des hommes et les femmes m'ont toujours compliqué la vie. Un soir de pizza, un soir où nous déambulions dans la Herenstraat de Voorburg, nous avons marché logiquement jusqu'à mon hôtel. Nous parlions peu, mais nous savions que nous allions baiser. Seul le sexe nous rassure sur la vie. Dans l'ascenseur, nous ne nous sommes pas embrassés. Nous regardions le sol. Myriam a vu la photo de Kabanga. Elle parcourait la chambre, ne sachant où s'installer. Elle choisit finalement le fauteuil devant ma table de travail. Myriam vient de Somalie, mais elle a fait ses études au Kansas et n'a pas visité la Somalie depuis dix ans. Elle n'aime pas être somalienne. Elle souhaite acquérir la nationalité néerlandaise et suit des cours intensifs de néerlandais. Myriam veut changer de peau. Moi, je me contente de la mienne, tous ses plis me sont familiers. Ma peau me va. Je cherche maladroitement un sujet de conversation. Je tente de retrouver la légèreté qui s'est dissipée. « Tu peux t'installer dans l'autre lit, moi je me sens fatigué », et je m'assois sur un des deux lits. Nous avions tous les deux perdu l'habitude des gestes de l'amour, nous nous cherchions, nous hésitions. Notre absence d'habileté et d'aisance dans cet exercice complexe nous fit rire. Myriam a un joli sourire et je pense bien que c'est ce sourire, plus que son corps longiligne et fluide, plus que ses seins menus, qui m'excite. Nous avons réussi à faire l'amour correctement.

Le lendemain, Myriam quitta la chambre avant que je ne m'éveille. Je reçus un courriel dans l'après-midi : « Je te propose un contrat. On se voit quand on a besoin de sexe. Pas de question, pas de sentiment. »

Je répondis « D'accord ».

Myriam revint quelques jours plus tard. Comme le premier soir, elle cherche l'endroit où elle va s'asseoir. Elle s'assoit au pied de mon lit. Elle semble nerveuse, fébrile, habitée par des pensées troublantes. Le dernier train passe, il est 2 h 45. Dormir, je veux dormir. « Claude, je pense que je t'aime. » Je ne veux pas être aimé, je ne veux pas aimer. Je n'ai ni le temps ni la disponibilité. Mais Myriam me séduit. Je n'avais vu que le sourire et la timidité, mais dorénavant la fluidité de son corps m'enchante, sa légèreté quand elle s'allonge sur moi me ravit. Quand deux personnes se rencontrent, elles ne contrôlent rien sinon leurs propres défenses. Ma réserve et ma distance, ma timidité et mon humilité ont vaincu les craintes qu'elle entretenait à l'égard des hommes. Je lui ai prouvé qu'on pouvait faire confiance à un homme. Si je n'étais pas analyste à la Cour, si je n'étais pas chargé de traquer les plus grands criminels de la planète, je pourrais essayer la passion, l'amour, l'abandon, ces dérèglements de la raison qui, dès qu'ils s'installent, occupent tous les recoins de la pensée, minent les esprits les mieux organisés et plongent l'amoureux dans l'inquiétude et l'incertitude permanentes. Plus tard, je pourrai peut-être tenter d'aimer Myriam, mais pas maintenant, pas à trois jours du début du procès de Kabanga.

Myriam fait partie de l'équipe de juristes qui rédigent les décisions des juges. Elle est une nègre de juge et, dans le cas qui nous occupe, du juge Fulton, un Britannique arrogant et pervers. Nous n'avons jamais parlé de Kabanga, devoir de réserve professionnel. Le procureur n'aime pas le droit de Fulton, un droit tout en codicilles, en virgules et en règles obtuses, et le juge méprise la justice du procureur, justice qui se réclame autant du droit que de l'équité, mais aussi de la parole des victimes, des bouleversements de la planète, etc. Nous connaissons tous les deux ce conflit entre deux visions irréconciliables de la justice, mais nous avons évité cette discussion qui aurait pu fragiliser, sinon rompre, notre relation.

Je cherche. Comment dire oui et non ou non et oui, mais les deux à la fois à cette déclaration d'amour qui m'embête. Je n'y parviens pas. Je dis toujours oui ou non, les arrangements ambigus me sont étrangers, les mensonges m'horripilent.

Le corps de Myriam dessine un sombre serpent gracieux sur le drap blanc. Elle me regarde avec des yeux de vautour. « Claude, Kabanga va être libéré pour vice de procédure. Le procureur est au courant. C'est pour cela que ta mission à Bunia a été annulée. La décision sera rendue publique lundi et Kabanga rentrera chez lui si c'est ce qu'il souhaite. »

Je lui demande de répéter, mais ce n'est qu'une phrase qu'on prononce pour vérifier si le cœur bat toujours, si on respire normalement. Elle ne répète pas, elle dit seulement « Claude, viens » avec une telle douceur, une telle tristesse dans sa voix que je m'étends à côté d'elle, que je me glisse, et que je la laisse m'entourer de ses bras amoureux qui me semblent être des ailes d'oiseau qui me protègent.

Dans l'équipe, nous avions tout imaginé, une peine exemplaire, mais aussi des peines plus légères, nous avions même évoqué en riant jaune un acquittement, mais jamais une libération. Cent mille personnes savent dans leur chair et dans leur détresse que cet homme est un criminel. Le juge s'en fout. Et quel juge, un va-t-en-guerre dans son pays, un artisan de la peine maximale, un grand maître des règles du droit. J'aurais aimé pleurer ou hurler, mais je demeure paralysé, lové dans un corps amoureux, comme une larve, un parasite, une chose sans consistance. Myriam glisse doucement ses doigts dans mes cheveux. « Claude, je pense que le juge est totalement imbu de son pouvoir. Je le connais. Il ne pense qu'à sa réputation de grand juriste. »

Tout cela, on le savait dans l'équipe, mais jamais nous n'avions pu imaginer que la très haute estime qu'il avait de lui-même le conduirait à invoquer un vice de procédure pour libérer un criminel. Nous détenons des documents confidentiels qui proviennent de l'ONU ou de membres d'ONG locales. Ces documents ont servi à construire la preuve contre Kabanga. Le juge a ordonné que nous les transmettions à la défense. Si nous avions obtempéré, nous aurions mis des vies en danger. Nous n'avons donc transmis que l'essentiel. Le juge le sait fort bien, mais il s'en fout. Tout ou rien. Cet homme veut écrire l'histoire du droit international et n'a aucun intérêt pour la justice.

« Il faut dormir, Claude. Tu en as besoin. » Encore une fois, la voix est douce comme une brise chaude. J'ai moins peur de son amour. Je n'éprouve aucun sentiment amoureux à son égard, seulement le confort qu'elle me procure comme un bain chaud ou un drap frais et doux pour la peau. Je pourrais m'accommoder de son amour si elle ne réclamait pas le mien.

24

Myriam est partie. La pluie bat les fenêtres, cette pluie méchante et vicieuse de la Hollande. Je bois le café instantané que les hôtels moyens fournissent à leurs clients, un sirop qui évoque l'idée du café. Curieusement, j'aimerais que Myriam soit présente. Ou quelqu'un d'autre qui pourrait m'expliquer pourquoi j'ai le sentiment d'avoir perdu ma vie, pourquoi la libération de Kabanga rend inutile mon patient apprentissage du monde. Kabanga libre me tue. Myriam pourrait peutêtre me dire pourquoi, ou encore Claus ou Pascal. Je ne sais pas. Non, et c'est une grande révélation pour moi, seule une femme peut comprendre que la vie ne m'intéresse plus. Pourquoi une femme ? Parce que les femmes sont des mères.

Témoignage de Béatrice :

« M. Kabanga est entré dans la maison avec trois gardes du corps qui étaient des élèves de la même école que moi. Il a demandé à maman si elle était une bonne Hema et si elle pensait que toutes les familles hema devaient travailler pour la suprématie des Hema sur les

Lendu. Maman a dit oui. C'est ainsi que je suis devenue soldat. Je n'ai pas été enlevée, kidnappée ou violentée. Maman m'a ordonné de devenir soldat. Je n'aime rien de la guerre. À l'entraînement, quand je tirais avec ma kalach sur des cibles, je tremblais et frissonnais. J'étais un très mauvais soldat. C'est pour cette raison que lors de ma première participation à une attaque, j'ai été faite prisonnière des Lendu. Ils m'ont violée je ne sais pas combien de fois. J'ai réussi à m'enfuir, je suis revenue chez maman et je lui ai tout raconté. Elle m'a jetée hors de la maison. Je suis allée voir des oncles et des cousins hema, ils m'ont aussi rejetée. Je suis impure maintenant, pleine de sperme lendu. J'ai dix-huit ans, je me prostitue dans le restaurant libanais, surtout avec les étrangers. Je sais que je ne me marierai jamais et n'aurai jamais d'enfants. J'adore les enfants, mais quand j'en approche un dans la rue ou au marché, les parents le saisissent et l'éloignent de moi comme si j'étais une pestiférée. Voilà ce que M. Kabanga m'a fait. J'espère que vous allez le punir. »

Non, Béatrice, nous n'allons pas le punir. Un juge fou qui ne connaît rien de ton désespoir lit des manuels de procédures, mène un combat contre l'ONU pour affirmer que les juges sont les juges, les démiurges, les dieux de la terre, que leur statut leur accorde le droit d'oublier que tu n'auras jamais d'enfants, sinon un qui sera le fruit d'une relation engagée au restaurant libanais et dont tu avorteras parce que le père est un soldat belge qui t'a foutu une claque quand tu lui as avoué que tu étais enceinte.

Non, Béatrice, cette Cour ne fera rien pour toi. La Cour se préoccupe de sa pérennité. Elle t'utilise pour créer des jurisprudences, des règles, des procédures qui permettront peut-être aux Béatrice de l'avenir de connaître la justice. Non, Béatrice, n'attends rien de La Haye. Pour les juges, tu es un hamster dans sa roue de tristesse sans fin, un cobaye dont on tente de soutirer l'ADN du juste et de l'injuste.

Béatrice, je vais aller à Bunia te présenter mes excuses au nom de la Cour. De ton long témoignage, je sais aussi que tu voulais être infirmière, que tu es séropositive, que tu as avorté deux fois. Je t'aime, Béatrice.

25

L'avocat de Kabanga s'exprime devant la presse. Il pérore. Pendant ce temps, le président rwandais Kagamé est sûrement prêt à accueillir son ami Kabanga qui lui a fourni diamants, or et coltan. Les médias occidentaux s'extasient sur l'audacieuse et remarquable conception de la justice qui règne à La Haye. La justice internationale sera parfaite et sans faille. Les éventuelles biographies des juges ne s'intéresseront pas aux faits : que cette recherche de la perfection tue des gens, libère des criminels, crée une onde de choc dans un pays déjà déstabilisé, on s'en fout. Ma lecture de la presse internationale me plonge dans un désespoir qui n'a rien de théorique. Kabanga libéré, c'est un peu la vie qui me quitte, du sang qui coule lentement d'une blessure près du cœur. On me demande d'écrire des « lignes », ces formules convenues et polies qui habillent décemment les défaites et les faillites. J'essaie, mais je n'y parviens pas. Ma capacité d'analyse et de synthèse s'est enfuie avec Kabanga. Je découvre stupéfait la colère, la rage, la révolte vraie, le refus de l'ordre, le rejet des règles et des conventions qui m'habitent. Et si ces émotions s'expriment avec tant de vigueur et de clarté manifeste, c'est

128

qu'elles m'avaient toujours habité et que je les niais, les emballais précautionneusement dans les feuilles de papier de soie de mes méthodes rationnelles et pragmatiques, que je les classais dans des dossiers comme des informations objectives. Et si j'avais mis le même soin à envelopper tout ce qui était sentiment, seulement pour ne pas vivre le désarroi, l'incertitude, la douleur possible ? J'avais été un trouillard. Kabanga n'avait jamais craint et il était libre. Il pourrait redevenir l'empereur de Bunia. Quand on est fait comme moi, on ne prend pas la décision de changer, de se libérer, on comprend que cela est déjà accompli depuis longtemps et on accepte la mutation sans s'inquiéter des conséquences du changement. On se laisse porter par la grande marée qui va gruger les granits les plus anciens et modifier les paysages inexorablement.

26

— Myriam, je démissionne.

27

Myriam promène sa grâce longiligne dans la chambre. Je suis libre, ce qui me permet de dire ce que je pense et non pas de le consigner sur des feuillets que je jetterai le lendemain. Et je ne crains plus le rejet, car je sais où je vais, je m'en vais à Bunia.

— Myriam, je ne t'aime pas comme je crois que tu m'aimes.

— Tu ne sais rien de l'amour et encore moins des Africains. Donc, tu ne sais absolument rien de l'amour que j'ai pour toi.

— J'adore ton sourire et j'aime de plus en plus faire l'amour avec toi, mais ce n'est pas de l'amour, cela.

— Et si je t'aimais seulement parce que tu es respectueux et doux avec moi, et que cela me suffit? Dirais-tu que c'est l'amour tel que tu le conçois?

— Non, je dirais que c'est de l'affection, une sorte de confiance mutuelle.

— Et si, pour moi, cette confiance mutuelle représentait tout le bonheur que je peux attendre d'un homme, admettrais-tu que mon sentiment est aussi profond que ce que tu appelles l'amour?

Myriam se glissait dans les brèches ouvertes par

Kabanga. Si je me laissais maintenant aller à la colère et à la rage, il y avait aussi place en moi pour d'autres sentiments tout aussi déraisonnables, comme l'affection, le désir et peut-être l'amour. Mais je n'en suis pas là, dans ce nouveau monde des sentiments où je ne suis qu'un apprenti craintif et hésitant. J'ai besoin de prendre mes marques.

— Donc, on pourrait faire un bout de chemin ensemble.

Quand on a peur des sentiments et qu'on s'y laisse finalement aller, on ne possède pas les mots pour les transmettre. Je viens de dire la pire chose qu'on puisse imaginer et je prends un whisky dans le minibar.

Myriam sourit et me tend les bras.

« C'est joli comme image. Viens, Claude. » Je m'allonge et me surprends comme lorsque j'étais ado à regarder, à désirer. « Chez vous, les chemins qu'on parcourt ensemble sont courts, chez moi, ils sont longs. » Nous faisons l'amour comme si nous nous apprêtions à entreprendre un long périple, lentement, délicatement. Nous avons trouvé un rythme commun qui tient autant à ses blessures qu'à ma timidité. Cela est lent comme une marée qui avance vers des terres qui dorment paisiblement, inconscientes du bouleversement qui se prépare. Nous avons changé. Nous regardons nos visages, nous ne nous cachons pas dans l'épaule quand vient un sursaut aigu de jouissance. Nous parlons. Des petits mots, des phrases ordinaires, qui pour moi sont des poèmes, « C'est bon », « Encore », « Plus lentement », « Oui ! » Nous avons des conversations et des rires après le sexe. Nous sommes, je crois, amicalement amoureux.

Myriam s'endort la tête sur mon épaule. J'ai une femme pour la première fois de ma vie. C'est sa respiration calme et régulière, cet abandon absolu dans le sommeil auprès d'un presque inconnu qui m'en a convaincu. Quand je dis « J'ai une femme », je ne pense pas que je possède une femme. Cela signifie qu'une femme m'accompagne et qu'elle a le droit de se dire « J'ai un homme ». Mais pourquoi la peur et l'angoisse s'emparent-elles de moi, pourquoi ces palpitations et le souffle court, les mains moites, le front bouillant ? Je me calme aussi soudainement qu'une tempête tropicale à son dernier soupir. Je connais très bien la réponse. À trente-cinq ans, je suis enfin devenu un homme et j'accepte d'entrer dans la vie, la vraie vie, qui est, comme disait un médecin français, « une maladie mortelle transmise sexuellement par l'homme ». Je souhaite Myriam et ne la veux pas.

Myriam disparaît toujours avant que je ne m'éveille. Ce matin, elle est là. Elle est descendue à la salle à manger et a rapporté des croissants et du café au lait. Nous ne parlons pas. Ce premier petit-déjeuner ensemble se déroule comme un rituel, une cérémonie, dans un silence absolu. Elle prend sa douche, le bruit de l'eau m'enchante car je sais quel corps les gouttes caressent. Elle se sèche les cheveux, se tournant vers moi avec ce sourire timide. Elle s'habille. La femme qui s'habille est souvent plus désirable que celle qui se dévêt.

— Claude, je vais démissionner, moi aussi.

— Tu viens à Bunia avec moi?

— C'est un long chemin qui m'intéresse.

Je ne comprends pas pourquoi, sans réfléchir une seconde, je lui ai proposé de m'accompagner à Bunia. Je constate que je ne comprends pas. Pour le reste, je m'en fous. Si je l'ai fait, c'est que je le désirais. Elle part. Je regrette déjà son absence et elle n'est même pas rendue à l'ascenseur. J'ai consacré environ douze mille jours à me construire et, dans les douze dernières années, à le faire consciemment. Le sentiment, l'émotion, le désir érodent la raison. J'avais construit ma vie d'adulte sur des idées, des principes, des convictions. Il faut avouer que je n'avais pas de mérite puisque ces pulsions incontrôlables de l'âme, ces sueurs venues de nulle part, ces regards ébahis devant la beauté d'un corps, ne m'avaient toujours mené qu'à l'échec et à l'incompréhension. Ce n'était pas la vie qui me terrorisait au point de m'en retirer, c'étaient les femmes.

Mais tout a changé grâce à Kabanga. Curieux. Je me résous à accepter de ne pas comprendre.

L'abandon, je découvre ce sentiment de vivre sans filet, la disparition de la peur. Je ne crains pas de faire le funambule, ni la colère, ni le désir.

J'ai dit Bunia sans réfléchir, sans savoir ce que j'y ferais et pour quelle raison précise je m'y rendrais. Mais en le disant, je savais que c'est là que je devrais être pour voir Kabanga revenir dans le lieu de toutes ses terreurs, pour l'observer libre.

On a accueilli l'annonce de ma démission avec quelques regrets que j'ai refusé d'évaluer. J'ai remis ma carte d'identité magnétisée à la sécurité. Le fonctionnaire hollandais ne m'a même pas regardé. Ils ont ce talent, les Hollandais, de vous voir sans vous regarder.

Je suis assis dans le parc devant l'édifice de la Cour, sur mon banc préféré, celui que fréquentent presque les canards et les cygnes. Ils s'en approchent parfois quand les petits veulent se reposer sur le gazon. Je m'ennuierai de mes canards, mais pas des Hollandais. J'ai lu beaucoup de romanciers hollandais : la célèbre Hella Haasse, le troublion Jeroen Brouwers et surtout Harry Mulisch. J'espérais en les lisant trouver des vertus à ce pays. Je suis habitué à une littérature qui aime son pays, autant la québécoise que la française. Je suis nourri de gloriole idiote, le « sourire québécois », la « créativité québécoise », le « génie français », comme si les Chinois n'avaient pas inventé la poudre à canon et les Arabes, l'optométrie et l'algèbre. Or voilà, ces auteurs me le confirment, le sourire hollandais n'existe pas, c'est une manière de rictus appris à l'école de commerce. Pas plus que n'existe l'hospitalité hollandaise, qui se limite à vous permettre de vous asseoir dans un restaurant et à attendre que le client réclame la carte, à poser sur celui-ci un regard accusateur s'il pose une question à propos d'un plat et à le servir très lentement. La Hollande est le plus civilisé des pays barbares. Comment ai-je pu y passer trois ans ? Il faut être mort ou hollandais pour vivre ici. Et cette langue, cette déglutition continuelle de sons gutturaux, cette habitude de crier, de hurler des « g » grugés par des « r » qui font comme des rots et qui insultent toutes les oreilles un peu normales.

Je hais ce pays. Je prends la mesure de ma haine assis sur ce banc avec mes canards qui n'ont pas le couac hollandais, mais le couac timide et poli. J'aimerais bien qu'un Hollandais moyen s'assoie sur ce banc pour que je lui dise ce que je pense de son pays. Je pense, mais j'aimerais parler.

J'aimerais parler, parler de ce que je ressens. C'est nouveau. En rentrant à l'hôtel, le concierge me fait son salut convenu. Au restaurant, Michael dit « Allo sir », la jolie Édith fait semblant de ne pas m'avoir vu parce qu'elle ne veut pas dire non à une invitation que je lui ai faite il y a six mois.

— Michael, do you like me ?

— What do you mean, sir ?

— Do you want to know more about who I am ?

— I don't have time for human contacts, I am working.

Michael me tourne le dos et se concentre sur le match de handball à la télé.

Myriam. Penser à elle m'émeut. Je ne crois pas tomber dans des dérives émotives adolescentes. Je suis calme, paisible, dénué d'émotion excessive. Elle a dit qu'elle ferait ses bagages et qu'elle serait là à 21 heures. Je ne regarde pas ma montre, je sais qu'elle sera là. Je regarde le match de handball. Michael se décrotte le nez. Une odeur de jasmin. Il est 21 heures. Est-ce que le bonheur qui est la paix vient de la certitude ? Peut-être. Elle est là. Myriam est redevenue somalienne. Elle porte un vêtement traditionnel et un foulard qui n'est pas musulman mais somalien, qui doit protéger contre les tempêtes de sable ou qui n'est qu'un ornement, une coquetterie. Elle traîne deux énormes valises dans lesquelles sont pliées sûrement toutes les paires de jeans ajustés qui furent ses seuls vêtements durant son séjour à la Cour. Curieusement, elle ne sourit pas, elle ne me regarde même pas. Myriam regarde le tapis, immobile comme une image de femme respectueuse qui attend les ordres de son mari.

— Le voile que tu portes, il est islamique ?

— Oui pour certaines femmes, mais pour moi il est somalien. Il réchauffe quand la nuit tombe comme un lourd manteau, et puis il est joli. Il me fait un beau visage, je pense. Je me trouve plus belle avec le voile. Et tu vois, ce n'est pas non plus un voile de pudeur. Plus le voile est beau, plus il façonne joliment le visage, plus les hommes te désirent. C'est pour cela qu'arrivée en Occident, parce que je ne voulais plus du désir des hommes, je me suis habillée à l'occidentale.

« Tu veux monter ? » Elle sourit. « Oui, on serait mieux chez nous. »

Chez nous ! Je ne suis pas certain, même si ces mots me font plaisir.

Ses deux valises ne débordent pas de jeans, mais de livres, des traités de droit, des dossiers, des rapports d'ONG ou de l'ONU. Elle glisse dans la chambre, replace des livres mal rangés, prend le cendrier, le vide et le lave puis le pose sur la table de chevet. Si je pensais à un ange, c'est ainsi que je l'imaginerais bouger, avec une aisance absolue, une grâce délicate mais assurée. Je suis allongé sur le lit et l'observe. Elle le sait puisque, régulièrement, elle baisse légèrement la tête en souriant timidement. « Ça ne te dérange pas ? » Et elle poursuit son ouvrage de mise en place, son rangement précautionneux et méticuleux. « Tes chemises sont fripées. Je m'en occuperai demain. » Elle regarde tout autour d'elle pour s'assurer que tout est bien. « Il ne manque que des fleurs. »

Des fleurs ? Attends-moi, je reviens. Une immense pépinière jouxte l'hôtel. Je monte sur les bacs à ordures de la cuisine de l'hôtel qui sont appuyés sur la clôture de la pépinière. De là, c'est un jeu d'enfant, même si trois ans d'hôtel et de dossiers, trois ans de sédentarité totale ont atrophié mes muscles anciennement sportifs. Dans l'obscurité, je choisis un peu au hasard un rosier qui, éclairé par la lune froide de septembre, semble porter des fleurs blanches comme un drap. Les Hollandais sont vulgaires et dépourvus de goût, mais ils inventent les plus belles fleurs du monde, allez comprendre. Les fleurs ne sont pas blanches, elle sont blanc écru avec des teintes de vert au bout et à la naissance des pétales. Les fleurs en harmonie avec la tige verte. Elle admire. « Tu les as volées. » Non, seulement empruntées et j'irai payer demain. Elle sourit.

— Je suis fatiguée.

— Moi aussi.

Elle éteint la lumière et, assise sur le côté du lit, se déshabille lentement. Un rayon de lune l'éclaire. J'admire. Cette nuit ne sera pas comme une nuit de noces, ce sera celle de la confiance et de la tranquillité, du moins, c'est ce que je souhaite. Pouvons-nous nous endormir ensemble, au même moment, respirer au même rythme durant le sommeil, faire des rêves identiques, bouger en harmonie sans que le corps de l'un dérange celui de l'autre? Pouvons-nous être des gisants dans le même caveau, unis dans le repos de l'âme et du corps?

Oui, nous pouvons. Je flotte comme sur la mer dans ce demi-sommeil qu'on tente toujours de prolonger. Un bras chaud est posé sur mes épaules. Je prends la main au bout du bras. Un doigt de la main serre un de mes doigts. Nous nous éveillons. L'éveil est parfois un processus de découverte et d'appréhension du monde. Je comprends que les jambes délicates qui s'entremêlent aux miennes ne sont pas des réflexes de sommeil mais des gestes réfléchis. Je me tourne légèrement. Myriam me regarde, les yeux battus par le sommeil. Et si je n'y vois pas toute la profondeur, la douleur et en même temps la douceur du monde, je ne vois rien que ses yeux qui me prennent. Nous faisons l'amour lentement et doucement, sans dire un mot, comme si nous naviguions sur une barque portée par une mer calme et des vents cléments.

Myriam fait le café. « Je vais aller payer le fleuriste. » Le fleuriste est une fleuriste rougeaude et forte qui me regarde avec une circonspection toute hollandaise pendant que je lui raconte mon larcin. Elle sent la terre qu'elle travaille, ses ongles sont noirs. Je lui montre un rosier qui ressemble à celui que j'ai emprunté. Elle me serre le coude comme une maîtresse d'école fait avec un élève pris en flagrant délit. J'entends les canards noirs cancaner, le vent froid se lève et pousse une bruine vicieuse. « C'est celui-ci que vous auriez dû emprunter, monsieur. » Jaunes, orange doré, roses, les pétales à la base s'ouvrent comme des dentelles. Au centre, ils forment presque un cône fermé. Fragilité des pétales ouverts en dentelle et solidité du cœur de la fleur. Je n'avais jamais regardé une fleur. Je n'avais jamais vraiment rien contemplé sinon quelques seins dans les dictionnaires de ma jeunesse et les canards noirs de mon canal. Je promets de rapporter le rosier emprunté, et voilà, j'ai maintenant un rosier lumineux, rutilant, luxuriant, huit fleurs et sept boutons, enfants de fleurs, qui sont des bijoux, des sculptures.

Myriam est allée chercher croissants, fruits et fromages. Elle a trouvé une nappe blanche et la table est mise comme dans une maison bien rangée. Je regarde ma chambre. Tout y est ordonné. Je ne l'aurais jamais fait, mais cela me plaît et aussi cet empressement qu'a Myriam à me servir, à m'interroger sur mes besoins. Je me sens bien.

— Et maintenant, que faisons-nous?

28

Plusieurs questions se cachent dans cette interrogation simple que Myriam fait sans émotion visible en trempant une bouchée de chocolatine dans son café au lait. « Allons marcher. » Je sais que j'évite de répondre à sa question en apparence anodine. Je me surprends, car je n'ai jamais aimé la promenade, ce genre d'exercice de contemplation ou d'ennui sans but, que pratiquent les vieux qui n'aiment pas la télé ou les solitaires qui se méfient de la vie. Je ne me souviens pas d'avoir marché sans objectif précis, un dépanneur, un marché, un rendez-vous. Mes pas devaient produire un résultat. On ne marche pas pour rien, et là, je souhaite m'engager dans la Herenstraat, examiner les vitrines des boutiques, aller jusqu'au grand parc au bout de la rue, découvrir ce qu'est ce pavillon blanc baroque et démesuré qui en occupe le centre.

Mais derrière la question simple de Myriam se dissimule tout ce que je ne comprends pas encore et qui m'effraie même si je me sens bien. Que faisons-nous ? Nous, toi et moi. Que faisons-nous demain, toi et moi ? Et après, quel plan pour nous, toi et moi ? Ce n'est pas l'avenir qui me préoccupe, c'est ce nous qui s'installe et que j'aime autant que je le crains.

« Nous allons marcher, il fait beau. Il y a un parc au bout de Herenstraat. » C'est ce qu'elle souhaite. Je sais que dans le parc devant le pavillon blanc, sans me regarder, pendant qu'elle observe l'étang, elle me demandera : « Et maintenant, que faisons-nous ? » La seule rue ancienne de Voorburg qui se nomme le village est plutôt sans intérêt, les boutiques y sont moches. Je découvre que le pavillon blanc est un restaurant un peu chic peuplé de rombières hollandaises et de comptables rougeauds. Les cygnes de l'étang donnent de l'élégance au lieu et les vieux chênes, un peu de distinction. Sauf mes canards noirs, je n'ai jamais observé d'oiseaux ou d'animaux avec plaisir, encore moins des arbres. « Et maintenant, que faisons-nous ? » Je le savais. Cette question reviendra continuellement comme un mantra, un verset du Coran. « Nous allons rentrer à l'hôtel. » « D'accord, mais demain, après-demain, la semaine prochaine, le mois prochain, l'année prochaine ? »

J'aime beaucoup Myriam. Je ne veux pas lui dire que c'est Kabanga qui m'a jeté dans ses bras, que Kabanga libéré m'a couché sur elle, que c'est la colère qui m'a fait découvrir l'envie de vivre et non pas ses petits seins et son sourire timide que j'adore. Mais je ne m'imagine plus sans elle. L'arbre que j'ai admiré, c'est parce qu'elle est là. Sinon je serais dans ma chambre à ruminer ou à consulter des dossiers. J'ai moins peur, mais je me méfie. Le bonheur est comme une fleur printanière.

Elle prend ma main et serre. Je dois répondre.

— Nous allons vivre à Bunia.

Je me suis peut-être un peu trop engagé. « Nous allons vivre à Bunia. » J'aurais préféré dire : « Nous allons aller à Bunia. » Pour le moment, nous vivrons encore quelques jours au Mövenpick afin que je complète toutes les transactions complexes qui m'échappent. Le transfert de mon argent dans une banque qui a des relations avec le Congo, l'assurance que je pourrai y puiser de Bunia. Je ne veux quand même pas me promener avec des milliers de dollars en espèces.

Le « nous » s'installe et ce pronom nominal m'inquiète malgré son innocuité. « Allons chez Martin, au bar à vin, tu rencontreras mes amis de détresse. » Ils sont plutôt homosexuels, mes compagnons de solitude, plutôt discrets car ils sont fonctionnaires, diplomates, juges, mais ils ont l'œil pour les femmes. Ils reconnaissent la beauté et la grâce d'un seul coup d'œil et se confondent en compliments quand je leur présente Myriam. Elle joue le jeu bien mieux que moi qui ne sais jamais quoi dire quand on me fait l'ombre d'un compliment. On lui parle de ses vêtements, elle tournoie pour faire voleter les pans de sa longue robe et puis prend un air timide de Somalienne dans un pays étranger. C'est une mimique de Somalienne à l'usage des Blancs. Le regard des autres sur Myriam me conforte et m'émerveille. Elle, je le vois, je le sens, m'observe comme un faune tapi derrière un buisson. Quelle crainte peut naître de l'admiration ? Je demande à Martin pendant que nous fumons une cigarette à l'entrée du bar. Martin possède cette beauté des hommes vieillissants qui conservent l'élégance, la sagesse et des jardins secrets qu'il évoque parfois sans jamais les décrire. « La crainte de l'amour, Claude. Mais je pense que tu es en amour. » Myriam ne sourit plus. Les clients jacassent, elle me regarde désespérément. Nous prenons le dernier train vers Voorburg. Le wagon est sale, le train bruyant, des punks s'amusent à terroriser les passagers, je lui tiens la main, elle pose sa tête sur mon épaule et, si le trajet ne faisait pas quatre minutes, je crois qu'elle se serait endormie. Je ne sais pas si je suis en amour comme pense Martin, mais je sais que j'ai une femme pour la première fois de ma vie. Avoir une femme. Est-ce que les femmes disent « avoir un homme » ? Je ne le pense pas.

29

(Reuter) « La Cour suprême de la République démocratique du Congo a jugé contre l'avis du gouvernement que Thomas Kabanga pouvait revenir dans son pays. Accusé par la Cour pénale internationale de crimes de guerre et de crimes contre l'humanité, en particulier d'avoir recruté systématiquement des enfants soldats, le leader de l'Union patriotique des Congolais a été libéré pour des points de détail. Les juges ont décidé que les règles de pleine divulgation à la défense n'avaient pas été respectées par le bureau du procureur. Cette décision, qui a eu l'effet d'une bombe à l'ONU et dans les ONG qui se consacrent à la justice internationale, remet en question l'existence même de la Cour. Le bureau du procureur, pour mener ses enquêtes, doit travailler avec la société civile dans des régions en situation de conflit, mais les ONG réclament une certaine forme de confidentialité car leurs membres pourraient être l'objet de représailles. Le procureur s'est dit amèrement déçu par la décision. »

Radio Okapi, RDC : « Deux jeunes hommes originaires de Bunia ainsi qu'un fonctionnaire de la Cour pénale internationale ont été tués ce matin alors qu'ils se rendaient aux bureaux de la CPI à Kinshasa. Ils ont été victimes d'une embuscade survenue devant l'édifice du ministère de la Justice. Des sources nous affirment que les deux jeunes hommes, dont un dénommé Maurice, étaient des témoins protégés dans l'affaire Kabanga. On sait que la Cour a ordonné la libération de Kabanga, il y a une semaine, et que l'ancien leader de l'UPC s'apprête à rentrer au pays. Notre correspondant à Bunia nous rapporte que les treillis militaires et les armes sont réapparus dans les rues de la capitale de l'Ituri et qu'un peu partout sont placardées des photos de Thomas Kabanga. »

Mémo de la MONUC — Mission de l'Organisation des Nations unies en République démocratique du Congo.
SECRET
Objet : Libération de Thomas Kabanga.
CPI : « Pour le moment, nous ne pensons pas pouvoir assurer la sécurité du personnel de la CPI en RDC. Toute mission prévue dans l'ensemble du pays doit donc être annulée. »

Je rencontre un ex-collègue dans la Herenstraat. Il travaille sur les affaires du Kivu. Mathieu est un jeune Français idéaliste, fils de pasteur protestant, ancien chercheur pour Human Rights Watch. Il titube et il a pleuré, je le vois. « C'est pas des juges, Claude, c'est des malades. » Je ne lui propose pas un verre. Je le ramène en le tenant par le bras jusqu'à l'édifice de la Cour.

— On fait quoi, Claude ? Claus parle lui aussi de démissionner.

— Moi, je m'en vais à Bunia, si jamais tu veux venir.

Dans la chambre, Myriam, habillée comme si nous allions sortir en ville, est assise dans le fauteuil, attendant mon retour. Non, elle ne s'inquiétait pas, elle savait que je serais là, que j'avais des choses à faire. Elle ne me pose aucune question. Je regarde mes courriels. Mon argent a été transféré en Hollande et un correspondant à Kinshasa m'assure que je pourrai puiser dans mon compte à partir de Bunia. Il me conseille quand même de prendre quelques centaines d'euros en liquide au cas où.

Alerte de l'AFP : « Thomas Kabanga est attendu à Bunia demain, après sa libération pour des raisons procédurales par la Cour pénale internationale. À l'aéroport de Schiphol, le chef de milice a déclaré qu'il allait reprendre son travail politique en faveur d'un Ituri autonome et prospère. La force des Nations unies rapporte des mouvements de population. Les habitants d'origine lendu semblent quitter la ville. »

Qu'est-ce que je vais faire dans ce bordel qui s'annonce ?

À la salle à manger, la serveuse ne s'adresse qu'à moi. « Et madame prendra quoi comme entrée ? » Myriam est ensevelie dans ses langes somaliens. Elle me dit qu'elle mangera la même chose que moi. « J'aime tout ce que tu aimes. » Elle n'a pas regardé une seconde la Hollandaise corpulente. « Ces gens n'existent plus pour moi », me dit-elle.

— Qu'allons-nous faire à Bunia ?

— Nous allons voir.

— Voir quoi ?

— Ce que je vais faire à propos de Kabanga.

— Que peux-tu faire ?

— Je ne sais pas. Mais je sais que je n'ai pas le droit de ne rien faire.

31

Je ne sais presque rien de Myriam qui, depuis qu'elle s'est installée avec moi, ne porte plus de vêtements occidentaux.

Je regarde le plafond sur lequel miroitent des ombres de nuages transpercés par la lune froide. Myriam lit des poèmes d'Omar Khayam. Si elle ne parle pas, si elle ne me dit pas son enfance et ses croyances, c'est qu'elle n'est pas prête ou qu'elle n'a pas confiance complètement.

Nous partons demain pour Kinshasa. Je ne me suis jamais senti aussi calme de ma vie et je sais un peu plus avec qui je pars. Durant les derniers jours, au moment de s'endormir, quand nous synchronisions nos respirations, Myriam prévoyait la question qui allait venir. Elle avait deviné ma manière de découvrir le monde, petit à petit, méthodiquement, avec une sorte de logique encyclopédique. Ne jamais sauter les étapes. Explorer complètement un sujet avant de pousser plus loin. Elle avait compris que je ne lui demanderais pas pourquoi, arrivée en Occident, elle ne voulait plus du désir des hommes. On ne peut comprendre la conclusion d'une histoire si on ignore le tout début et les détours subséquents de cette histoire. Le début de l'histoire de Myriam est joyeux, malgré qu'elle soit le premier enfant de son père qui aurait dû se désoler de ne pas avoir engendré un garçon. En Somalie, les filles ne pèsent pas lourd. Mais son père a fait sa médecine à Paris, est sorti avec des Parisiennes, il a couché avec des Françaises et quelques-unes d'entre elles ont fait mieux que lui aux examens finaux. Donc, Myriam qui est belle comme un cœur pourra faire ce qu'elle souhaitera. Après Myriam, il y eut trois garçons et une autre fille. Amar, le père, était un personnage révéré. Il soignait les pauvres gratuitement dans son cabinet et exploitait joyeusement les riches. Ce sont ces rapines de Robin des Bois qui menèrent Myriam aux États-Unis pour faire son collège puis une maîtrise en droit inter-national, ce que son père avait considéré comme hilarant puisqu'elle deviendrait le premier citoyen du pays qui aurait une conception du droit. Quand elle revint en Somalie, elle travailla pour Human Rights Watch. Le pays était à feu et à sang. Son père fut assassiné parce qu'il soignait les blessés de tous les clans sans poser de ques-tions et Myriam a eu, comme elle me l'a dit, de « très graves problèmes ». J'ai senti que nous ne respirions plus au même rythme, mais je savais qu'il ne fallait pas poser la question qui devait suivre logiquement. Je me retour-nai vers elle et elle glissa le drap entre nos corps. J'ai su à ce moment qu'elle avait été violée. Jusqu'à maintenant, elle n'a plus rien dit de son passé et je ne lui demande rien. Nous partons pour Kinshasa demain. Rien n'est simple chez cette femme et plus je m'y perds, plus j'ai confiance. Plus j'ai peur aussi de cet abandon.

32

Myriam feint le sommeil. Elle tente de produire le son de la respiration d'une femme qui dort pour que je m'endorme et qu'elle puisse réfléchir, car il est encore temps de dire non, de ne pas prendre l'avion, de retourner en Somalie, elle y a sans doute pensé. Quand elle ferme les yeux, les scènes sont tragiques, la guerre certes, le triomphe de la bêtise armée, mais surtout des rictus, des dents cariées qui rient, des insultes. Ce n'est pas le viol qui fait souffrir, c'est le mépris et l'impuissance. Voilà pourquoi, quand nous faisons l'amour, elle dit toujours « doucement » et fuit mon regard. Par contre, quand elle ouvre les yeux, le plafond s'orne d'ombres rassurantes. Un rayon de lune éclaire la chambre, les trains passent à l'heure, on entend le cri angoissé des canes qui ont perdu un caneton dans les nénuphars du plan d'eau devant l'hôtel. Un ivrogne gueule, mais ce sont des bruits qui la réconfortent.

— Claude, tu dors ?

— Non, j'attendais que tu t'endormes.

— Fais-moi l'amour doucement.

Je bouge en elle avec toute la légèreté que je peux inventer. On ne sait rien de la légèreté et de la douceur dans la copulation. Pour Myriam, la frontière est si ténue entre le plaisir et le cri d'horreur, un seul mouvement trop brusque du bassin la ramène là où elle a commencé à mourir. Elle sait que je ne la viole pas. Elle a demandé ce sexe qui travaille en elle. Elle aime ce sexe plus doux que tous les autres. Elle croit aimer l'homme qui est au bout de ce sexe. Du moins, elle lui fait confiance car, quand elle dit « doucement », il se calme et s'excuse de son empressement. Cela suffit à Myriam pour aimer maintenant. Le pouvoir de dire « doucement » à un homme et de sentir son souffle ralentir et son corps épouser le sien plutôt que de le regarder du haut d'un torse triomphant, extension de l'arme qui déchire les chairs. Sa chair si douce, veloutée, exhalant le musc, sa chair comme une soie qui surprend les mains par sa douceur, mais aussi, cette autre chair intérieure, cent fois perforée, travaillée comme si on devait la miner, y creuser des cavernes sanglantes et secrètes. Elle dit « doucement ».

Je crois que je suis amoureux d'une inconnue qui ne m'aime peut-être pas ou qui m'aime pour les mauvaises raisons. Peut-être ne suis-je pour elle qu'un passage vers une autre vie. Ce serait bien. J'aurais eu l'impression d'accomplir quelque chose, de mener quelqu'un ailleurs, dans un lieu tranquille ou un jardin paisible. Et je n'y perdrais rien sinon un corps confiant et une femme obéissante. Je peux me passer de Myriam, mais sa présence me rassure.

Comme sa vie fut plus tragique que la mienne, cela lui donne le droit de dissimuler, de ne pas tout dire. Moi, je raconte sans difficulté ma vie ordinaire, car elle est exactement cela, ordinaire. Je n'ai rien à dissimuler. Mes faillites amoureuses s'expliquent, mon rapport avec les femmes aussi, le suicide de mon père et la mort accidentelle de ma mère m'apparaissent comme des événements lointains et finalement anodins. Ils m'ont surpris, mais ne m'ont pas blessé. Je cherche dans mon passé des frustrations, des douleurs, des vides pour me glisser dans la vie de Myriam, pour que nous puissions partager une sorte de torture. Je ne trouve rien sinon Kabanga et l'injustice de sa libération. Le dernier train vers Den Haag Central vient de s'arrêter. Il est 2 h 45. Le silence s'installera jusqu'à 5 h 45 quand le premier train vers Utrecht réveillera les corbeaux et les canards du plan d'eau. Demain soir, nous serons à Kinshasa. Tout cela s'est produit si rapidement, l'avenir mystérieux et incertain ne me préoccupe pas. Je ne ressens aucune inquiétude. Je suis une perle de sel dans la grande marée qui avance vers les côtes avec une logique imparable, une logique née des grands courants profonds qui organisent le climat, font et défont les falaises, creusent durant des millénaires des sculptures dans le granit rose breton. Je vais là où la vie me conduit. Pourquoi tout à coup ai-je le sentiment d'avoir raison ? Kabanga, trois mille enfants soldats, un sourire insolent, des boutons de manchette en or, non pas le regard d'un assassin, mais celui d'un chef imbu de sa personne, cherchant par tous les moyens pouvoir et richesse. Un être méprisable. Mais je n'ai jamais vécu dans ce monde des émotions primaires, et je ne l'avais jamais avant considéré comme autre chose qu'un accusé que je crois coupable. J'ai quitté l'univers rigoureux de la justice pour celui embrouillé et arbitraire de la passion. Je ne suis pas certain que cela soit bien, mais c'est le chemin que j'ai choisi.

Myriam bouge légèrement. Je sais qu'elle va parler. J'attends.

— Tu veux tuer Kabanga ?

Je suis opposé à la peine de mort.

— Non.

— Tu sais, c'est facile de tuer quelqu'un. Il suffit de penser qu'il est moins humain que soi. C'est combien de temps, le vol ?

— Huit heures. Dormons.

Je ne pourrais pas tuer, Myriam, je ne pourrais pas.

Sa respiration s'apaise. J'imite son souffle. Je ne dors pas. Je pense à Martin, le propriétaire du bar à vin. Je ne lui ai jamais dit que je l'aimais, à Max aussi, à Tom le vétéran de la guerre du Vietnam, à Marco qui vend des verres de Murano sur la Denneweg, à un gros bouffi qui régurgite son néerlandais féodal, à Louis si élégant sous sa chevelure blanche, élégant dans ses pensées aussi, ce n'est pas rien, à un Norvégien beau et froid comme un Viking, à un couple de lesbiennes américaines qui m'emmerdait, à une vieille cloche qui pleurait ses enfants au deuxième verre de vin, je pense à toutes ces épaves de solitude qui m'ont permis de survivre, car elles furent mes seules bouées humaines. Je les quitte sans rien dire. Ce n'est pas bien. Il aurait fallu que je dise à Martin que je l'aime et qu'il me ferait un bon père. Envers Max j'aurais dû avoir l'amitié assez forte pour lui expliquer qu'il se comporte comme un adolescent. Si je les revois, je le leur dirai. Si je les revois.

Serai-je capable de parler et d'agir comme un homme, de passer de l'observation froide et de l'analyse méticuleuse à l'étape de la parole et de l'action ? Je crois que oui, même si j'ignore tout de ce processus qui paraît si naturel, mais qui me semble piégé par toutes les illusions de l'homme averti et conscient : le sentiment de supériorité, la certitude de l'analyse, l'incompréhension du hasard et de l'inconscient. Seule mon ignorance de l'homme m'empêchera d'être un homme. Combien d'émotions ai-je ainsi réprimées comme autant d'avortements?

34

De Schiphol, j'ai envoyé un courriel à Martin, un courriel un peu brouillon, pas très clair, mais le sens, je crois, y était. Ce n'est pas facile pour un hétérosexuel timide d'écrire une lettre d'amour à un homosexuel. Je n'ai pas écrit le mot « aimer ». J'ai tourné autour du pot qui était « je t'aime », des fioritures de style, des allusions, des évocations, mais jamais la phrase. Je le lui dirai quand je reviendrai. Je ne suis pas encore un homme. Je fuis, je fuis encore devant la vie. J'apprendrai. Il n'est pas trop tard.

La porte d'embarquement C 47 à Roissy est une banlieue de Kinshasa. Des grappes d'enfants fuient leurs parents qui hurlent, des dignitaires polissent leurs boutons de manchette, les bagages à main sont plus gros que ma valise remisée dans la soute de l'avion, des hommes impatients harcèlent les préposées à l'embarquement. Dans les comptoirs de restauration rapide, des familles font du camping. Myriam sourit, s'amuse avec les enfants indisciplinés, cause avec les mamans qui lui offrent des gâteries prévues pour les petits. Elle sent, elle me le dira dans l'avion, le regard concupiscent qui dit que la femme noire du Blanc doit être bonne au lit, meilleure que la Noire ordinaire. Elle sent aussi le mépris pour celle qui a trahi pour vivre avec un riche.

Nous avons survolé Paris, plongé sur Toulouse, tourné en direction du Caire et traversons maintenant le désert. Mon voisin est vaguement ministre, selon ses premiers propos, puis viennent des nuances. Il dit secrétaire, adjoint, chef de cabinet. Ses fonctions varient selon les services qu'il pourrait me rendre. Il salue un homme qui passe, le qualifiant de « cher collègue ». Les enfants se sont endormis. Cet avion est un village, tout le monde se connaît ou presque. À mille euros le billet, il faut faire partie de l'élite pour avoir droit à un siège et l'élite est bien ce qu'elle est, un peu corrompue, magouilleuse, incestueuse, l'élite congolaise, quoi, fondue dans le moule de Mobutu. Mon chef de cabinet me propose de s'occuper de mes affaires, de faciliter mes démarches, de m'introduire « en toute amitié, cher ami » puisque je viens contribuer au développement du Congo. Ils les ont tous saignés autant qu'ils ont pu, ceux qui venaient développer le pays, sachant que ceux-ci étaient aussi des prédateurs, des bêtes féroces mangeant mines et forêts, laissant quelques crottes de richesse sur le sol rongé et détruit. Mon nouvel ami m'a donné trois cartes professionnelles et connaît le gérant du Memling où nous allons nous installer. Je sais, je sais qu'Évangéliste, c'est son nom, va se pointer demain midi à la piscine du Memling et dire : « Ah, quel heureux hasard, monsieur Claude ! » Il est vêtu d'un complet Cardin des années quatre-vingt-dix, a une Rolex au poignet et pue l'eau de Cologne.

Myriam a un visage tragique quand elle dort. Long, fin, délicat comme une porcelaine antique. Un visage glacé, lisse comme si ses traits si purs, dépourvus de toute tension, imitaient une morte.

Que fait Kabanga ce soir à Bunia? Il mange tranquillement au restaurant, distribue sourires et poignées de main. Il reprend sa place. Cet homme est un criminel, mais il n'est pas fou comme quelques-uns des chefs de guerre africains sur lesquels je me suis penché. Ce n'est pas un sanguinaire, un assoiffé de sang. Il a un diplôme de psychologie de l'université de Kisangani. Cela ne le rend pas apte à traiter des afflictions sérieuses, mais il a appris suffisamment dans de vieux manuels écornés et dépassés pour tous les psychologues de la terre pour parler avec assurance des tourments de l'âme. Je connais Kabanga. Orgueilleux mais patient, violent mais méthodique. Kabanga souhaite, depuis son retour à Bunia, devenir l'empereur. Comme Napoléon, il fut exilé et il revient. Mais Kabanga n'est pas Bonaparte. C'est un homme de maigres ambitions personnelles, ce qui fait de lui un homme prudent. Il n'aura pas voulu effrayer le gouvernement de Kinshasa en rentrant triomphant. Il fera le mort, et tel un patient crocodile qui ne garde qu'un œil ouvert et demeure immobile dans l'eau boueuse, il attendra, nagera sournoisement vers la rive, et clac! bouffera le premier enfant qui s'amuse sur la berge, et puis sa mère et la famille s'il le faut.

Mon voisin me demande ce que je pense de la situation au Congo. Je lui dis que je ne connais pas vraiment son pays. Vous savez que Kabanga est rentré au pays. Je ne connais pas Kabanga. Il me raconte l'histoire de ce patriote dévoyé par les puissances étrangères, un homme de bien qui a fait des erreurs, mais tout le monde fait des erreurs dans ce pays. C'est quoi, des erreurs ? Des combats, des guerres et même des crimes, mais qui n'a pas commis de crimes dans ce pays ? « C'est un homme bien. Il porte bien. Il a de la prestance et un beau vocabulaire. On voit bien que c'est un intellectuel. Et il est intelligent. Mon cousin vit à Bunia et il m'a raconté son retour. Il a interdit aux membres de son parti de venir l'accueillir à l'aéroport pour ne pas enflammer les vieilles blessures. Il souhaite seulement redevenir un simple citoyen prêt à collaborer au développement de son pays et à la stabilité de l'Ituri. »

Et les trois mille enfants soldats ? Le chef de cabinet me répondrait qu'il s'agit là d'histoires de Blancs, qu'on ne connaît pas l'âge d'un enfant et que les enfants aiment se battre, avoir des fusils. Je pense à mes enfants soldats, Josué, Béatrice et les autres témoins, Marie, Aristide, qui ne sont plus protégés par la Cour, qui errent sur les collines ou dans les faubourgs de Bunia, se cachent, car la rumeur le dit, Kabanga a décidé de tuer ses accusateurs. Il attend son heure. Je le connais, mon Kabanga, c'est un homme patient. Moi aussi. Il faut apprendre la manière africaine de faire les choses. La manière africaine, cinq cents doses de trithérapie.

Je regarde son poignet.

— C'est combien, cette Rolex ?

— Trois mille euros, c'est une des moins chères et je l'ai eue par un copain.

— Ça paie bien la fonction publique en République démocratique du Congo ?

— Non, pas du tout, j'ai un peu d'argent de famille.

— Et la famille faisait quoi sous Mobutu ?

Ce n'est pas la manière africaine. Je dois apprendre à poser des questions sans les poser car mon voisin dort soudainement. Ce monde n'est pas pour moi. La famille, elle devait faire dans le diamant, les mines d'or, dans la ponction sur le pauvre étranger, elle était aux ordres, livrait un cousin quand l'autorité le requérait. Je ne sais pas, j'imagine. Pour porter une Rolex et voyager en classe affaires, être habillé comme un épouvantail des années quatre-vingt-dix, il faut être un bandit ou un fils de bandit. Mais un bandit dans cet avion n'est pas un criminel. C'est soit un ministre, soit un fonctionnaire.

C'est le chef de cabinet qui me réveille. « Kinshasa. » Je lui demande s'il ne pourrait pas me trouver une Rolex au même prix. Il sourit. Myriam dort les poings fermés comme une enfant. Nous arrivons, je sens la décélération et la pression qui obstruent mes oreilles. Il souhaite me revoir au cas où il pourrait faciliter mes démarches et mes entreprises. Je n'ai pas de projet et c'est la première fois de ma vie. Je n'ai qu'une destination, une ville inconnue, une compagne qui serre encore les poings. Comment expliquer à cet homme habitué à grappiller tout ce qui passe, à se lier d'amitié avec qui peut être utile, à laisser tomber celui qui se révèle ne pas l'être, que ce n'est pas « ainsi que les

hommes vivent » ? Le chef de cabinet passera au Memling pour discuter de la Rolex et de mes projets.

Joseph, que j'ai rencontré déjà à La Haye, nous
attend sur le tarmac, prend nos passeports et nous mène
au salon VIP. Il s'occupe des formalités. À Kinshasa, la
moitié d'un Airbus 340 se retrouve dans le salon VIP
pendant que quelques dizaines de Joseph s'occupent des
formalités. Des chefs de cabinet se tiennent la dragée
haute, car tous ces gens furent ennemis, des ministres
passent et regardent si un journaliste ne les attend pas,
des ambassadeurs de petits pays patientent, des filles
cherchent les clients à la source. Myriam a trouvé un
coin entre deux fauteuils de cuir. Elle s'y installe comme
un animal craintif dans une tanière improvisée. Elle
paraît si douce et fragile, tapie dans ce salon d'ogres et
de prédateurs. Le chef de cabinet me fait des signes
de tête et des sourires. Joseph revient, tenant nos passeports comme des trophées au bout du bras.

Joseph n'est pas une lumière. Il a un diplôme de
l'université de Kisangani, à l'instar de Kabanga, mais un
diplôme en communications. Il travaille depuis trois
ans pour le greffe de la Cour à Kinshasa et est chargé
d'expliquer aux médias locaux les décisions juridiques
de la CPI. Je sais par des collègues qu'en conférence de
presse il bafouille, cherche ses mots, se mêle dans les
« lignes » qu'il a reçues de La Haye et termine toujours
en disant que la justice sera juste parce qu'elle est internationale. Pour les journalistes de la capitale, il passe
pour un mercenaire, un faux jeton. Pourtant, on ne
peut imaginer plus honnête que Joseph.

Il pousse son Cherokee dans la nuit le long de la seule route qui mène au centre-ville. Ils appellent ça l'autoroute. Les véhicules avancent comme des navires dans une brume rougeâtre, des centaines de fantômes, de zombies, d'ombres, de spectres errent dans ce brouillard de sable et de poussière, éclairés par les phares ou les braseros autour desquels des femmes sont assises, vendant quelques oignons ou encore des bananes ou du manioc. Des hommes lourdement chargés naviguent entre les véhicules. Ce n'est pas une autoroute, c'est une fourmilière, et aucun klaxon n'effraie les fourmis. Mieux, les insectes défient les monstres sur quatre roues, bloquent leur chemin, leur acier rutilant, et lancent un regard de défi quand finalement ils laissent l'autoroute fonctionner. Ce désordre m'enchante, le vent chaud m'excite, la poussière me ravit par son tournoiement qui fait des volutes de fumée rougeâtre. Tout cela m'est complètement étranger, il ne correspond à rien en moi, et pourtant je me demande pourquoi j'ai attendu si longtemps. Pourquoi j'ai attendu la vie si longtemps. Car la voilà, la vie, un grouillement imprévisible, une permanente improvisation, un manège forain, un cirque de province qui parade, trois poules espagnoles, deux dromadaires et un gnou. La vie, la toute petite, celle de tout le monde. L'éveil le matin, l'incertitude, le bruit des enfants, le regard dehors pour savoir si le ciel grisonne ou rougeoie. C'est ainsi que presque tous les hommes vivent. C'est ainsi que je n'ai jamais vécu.

Avant d'arriver à l'hôtel, Joseph me confie ses appréhensions. Depuis que la rumeur a apporté la nouvelle de la libération de Kabanga, ses hommes organisent sa vengeance. Quelques maisons ont été incendiées. Les armes dissimulées sous les fagots ou dans les faux plafonds sont réapparues dans les rues. Des uniformes anciens aussi, des uniformes rwandais. *Back to the future.* Il y a eu ces deux témoins qui ont été décapités et dont les corps ont été déposés devant le restaurant libanais, avenue de la Libération. Il craint le même sort pour les autres. L'anonymat ici est impossible tant la rumeur fait la loi.

Dans le hall du Memling, bois laqué, valets en livrée, accueil VIP, cartes de crédit, vestons Dior et montres Rolex contrastent avec la vie. Dîner à la piscine, Chinois qui troquent des mines entières contre des crédits, dollars américains pour tout, même pour un Perrier. C'est l'Afrique officielle, celle des ministres et des hauts fonctionnaires. Je revois Charles Taylor dans le box des accusés à La Haye, son allure d'homme d'affaires prospère, son regard méprisant, son apparent désintérêt pour le procès qui est le sien. Ces gens vivent en dehors de leur monde. Kabanga, qui est psychologue, pourrait peut-être expliquer comment on devient prédateur, cannibale de ses frères et de ses sœurs, sorcier menteur, imposteur de profession, magouilleur et meurtrier et tortionnaire, tout cela avec le même sourire pour l'étranger qui vient de la Banque mondiale ou celui qui représente la coopération chinoise.

Myriam s'est voilée de jaune lumineux. Elle commande un coca. Sa tenue ne la rend que plus désirable.

Le voile souligne la délicatesse du visage qui annonce le corps dissimulé. On regarde les yeux et on imagine les jambes, le nez fin et on voit les seins. Le voile cache et invite au désir. Plus que le vêtement occidental qui annonce la marchandise, le voile attise un désir violent. Le voile demande à être déchiré, malgré toute sa pudeur et sa dissimulation. Est-ce pour cela que l'islam souvent impose le voile ? Pour inviter à la concupiscence, au désir fou ?

Je ne déchire pas le voile, mais le retire brusquement. J'oublie mes hésitations anciennes et pousse Myriam sans un mot sur le lit. Nul baiser, nulle caresse, seulement le souffle saccadé du désir sexuel, les mouvements brusques et rythmés de la possession, les halètements de la satisfaction masculine. Elle a miaulé légèrement et dit sèchement : « C'est ainsi qu'on me prenait avant. » Encore une partie de la vie que je n'ai pas saisie. Je ne vais pas lui dire que c'est le voile. Je ne lui dirai pas non plus que je ne suis pas un violeur. J'étais porté par le désir. Décidément, je ne sais pas aimer.

La République démocratique du Congo est une agence de perception en PPP, partenariat public-privé. Le privé, c'est le gouvernement qui est aussi le public. Le petit peuple trafique cigarettes et chewing-gum, dentifrice et mouchoirs de papier. Le policier trafique et taxe le malchanceux qu'il choisit dans un embouteillage et qui n'a pas bouclé sa ceinture. L'agent des mines ne laisse jamais consulter une carte géologique sans réclamer une semaine de nourriture quand il est honnête et une maison quand il est passé de la pauvreté à la corruption proactive. Le pion dans l'ascenseur murmure qu'il peut vous présenter. La secrétaire du chef de cabinet accepterait bien une invitation à dîner et son patron réclame une participation dans l'entreprise. Or, voilà le hic, je vais m'installer à Bunia, mais je ne sais pas si j'y ferai dans l'or, le diamant, la restauration ou la dilapidation de mes économies. Je ne sais qu'une chose, mais je ne peux leur dire : je veux observer Kabanga, étudier ce que sa libération entraîne comme conséquences dans la ville et la région. Joseph a déjà évoqué des disparitions mystérieuses de témoins et de victimes. Je suis une sorte d'espion de ma justice personnelle et je sais bien qu'un espion a besoin d'une couverture. Le ministre de la Justice, avec qui je dialoguais au téléphone et par courriel quand j'étais à La Haye, et qui est responsable de l'arrestation de Kabanga, facilitera mon installation à Bunia. Et après, dit-il, si je deviens riche dans le diamant ou l'or ou autre chose, on se reparlera. Il sourit satisfait de lui, sachant que j'ai bien vu l'épée de Damoclès qu'il vient de suspendre au-dessus de ma tête. Il m'attend et je ne lui échapperai pas. Il rédige une note pour le ministre de l'Intérieur. J'aurai un permis de séjour d'un an et les forces policières ainsi que l'administration locale de Bunia doivent me laisser tranquille. Pour bien faire, contrairement à ma mission en Côte-d'Ivoire, je l'invite avec sa femme pour dîner au Memling. Il consulte son agenda et, surprise, il est libre ce soir, ce qui lui arrive rarement.

Dîner très dans les formes, pas sur le bord de la piscine où j'avais réservé, mais à la salle à manger. Depuis quand boit-on du champagne avec des escargots et un jarret d'agneau, je ne le sais pas, mais c'est ainsi que le ministre et sa femme se goinfrent. Une bouteille de vieil armagnac avec ça. Myriam dort au son des propos de madame qui est tout tissu, Dior surtout, elle porte le boubou pour des sorties officielles comme ce soir, mais elle s'habille à Paris. Myriam dit, sans que personne l'entende : « Je m'habille chez moi. »

— Nous allons faire quoi à Bunia ? demande Myriam.

— Je ne sais pas, Myriam. Je ne sais pas. Nous allons voir et je déciderai.

— Et je ferai quoi à Bunia pendant que tu verras et décideras ?

— Tu m'aideras.

Myriam a pris possession de la chambre dans laquelle nous sommes installés au Memling. Elle a acheté des fleurs et un vase pour les y déposer. Elle s'est procuré deux tableaux naïfs que les « peintres » bradent à la porte de l'hôtel. Un pastiche des aventures de Tintin au Congo, *Les Aventures de Claude au Congo,* et un baobab maladroit mais émouvant qui protège un enfant chétif d'un soleil rouge assassin. Sur le lit sont étalés des vêtements tropicaux en lin et quelques chemises de coton d'une remarquable qualité.

— Tu essaies ?

Je n'ai pas envie. Les vêtements ne m'ont jamais préoccupé. Une paire de jeans et quelques chemises fripées, cela me suffit. Et je n'aime pas me regarder, je ne m'aime pas physiquement. « Allez. » J'hésite, trouvant cet exercice de travestissement ridicule. J'enfile un pantalon blanc écru dont le tissu caresse la jambe et une chemise ample de couleur ocre qui fait comme un voile délicat sur mon torse. Légèreté. Douceur. Je me regarde dans le miroir. Je ne suis pas si laid, je suis même élégant, et cette élégance me réjouit. Myriam me donne une autre image de moi, celle qu'elle souhaite peut-être.

Je me dis que j'aurais toujours dû être vêtu ainsi. Elle rit. Je souris car je manipule mal les mots. « Tu vois, c'est simple. » Et à ce moment, je sais que je l'aime, pas pour le plaisir d'être vêtu, mais pour celui d'être deviné, d'être un peu inventé. Si elle meurt ou s'en va, je m'habillerai toujours ainsi, car cela me va bien et me rend moins laid.

Le téléphone sonne. C'est Joseph et c'est urgent. Il est énervé, inquiet. Je le rejoins dans le hall. Il m'entraîne à l'extérieur où nous sommes assaillis par les vendeurs de tableaux de Tintin, les marchands de Marlboro et d'allumettes, les colporteurs de cartes pour les portables. Le temps est lourd, on sent l'orage qui va gronder et faire fuir tous ces gens vers des abris de fortune. Ils sont six ou sept autour de nous pendant que nous marchons. Joseph sort un pistolet et tire en l'air. Je suis plus effrayé que les colporteurs qui, habitués aux coups de feu, retraitent en silence.

— Tu es armé !

— Et toi aussi, tu devrais l'être, me répond-il comme si j'étais le dernier des idiots. Le père et la mère d'un des enfants soldats, Josué, viennent d'être enlevés par les hommes de Kabanga. Ils les tiennent en otage à Bunia. Ils ne les relâcheront que si le petit se livre.

— Et il est où, le « petit » ?

— Ici, à Kinshasa.

— Peux-tu le trouver ?

— Je crois bien.

Je veux retourner auprès de Myriam, revenir en arrière de quinze minutes, à ce moment précis où j'aimais être la sculpture d'une femme.

Elle dort profondément, le souffle long et paisible. Elle serre un oreiller dans ses bras comme une enfant. Je me colle contre elle, l'embrasse dans le cou. Elle grogne, dit « Je dors ». Du moins, c'est ce que j'ai compris. Je réponds « Je t'aime ». Je l'ai dit, elle a entendu. Je peux maintenant me concentrer sur mon travail. Mais j'ai peut-être menti parce que le son de ces trois mots me fait rêver depuis toujours.

38

Ici, l'argent fait foi de tout. Son odeur efface les principes, élimine les barrières, contourne les lois. Et ici, peu d'argent pour le Blanc constitue une fortune pour le Noir. Historiquement, le Blanc l'a bien compris et, encore aujourd'hui, il profite de ce déséquilibre, parfois même sans en être conscient. À certains moments, cependant, cela peut être utile.

Le soleil explose dans la chambre, Myriam fait le café. Joseph téléphone. Il a retrouvé Josué. Il est avec lui. Je prends une douche et je pars sans boire de café. Elle m'embrasse. De toute évidence, elle a entendu ma déclaration d'amour. Je suis heureux et fébrile, mais j'ai peu dormi et j'ai analysé. Ayant pesé le pour et le contre, je suis convaincu d'avoir raison. L'argent dans ce pays a une meilleure odeur que la vengeance. Kabanga sait qu'il y a des dizaines de témoins qui l'ont accusé, un de plus, un de moins, cela l'indiffère, mais s'il peut en tirer un quelconque profit, il le fera. Je le connais, cet homme. Et Dieu que je le méprise ! Aucune idée ne le motive, il ne poursuit aucune mission politique. Il acceptera une rançon pour les parents de Josué. Je vais payer la rançon.

Cette rencontre m'angoisse. Josué n'est plus un enfant, il a dix-neuf ans. Mais je sais qu'il n'a pas eu d'enfance. J'ai eu une enfance d'enfant, Josué, une enfance d'adulte. À treize ans, il a tué. À cet âge, pantois, je découvrais la mort à la télévision, puis l'ai étudiée dans des dictionnaires et des livres. Il en sait l'odeur de pourriture, le sang coagulé de la victime sur ses shorts de basket (car ça pisse le sang quand on plante une machette dans la gorge), le râle, le regard perdu de celui qui sent la mort l'envahir. Je ne sais rien de tout cela. De la mort, je ne connais que les images et les représentations. C'est un peu comme pour Bunia, je connais tout, mais ne sais rien.

Josué tourne en rond dans la pièce. C'est déjà presque un bel homme. Il le sera. Il parle peu de ses douleurs. Dès qu'il perçoit une menace, il se raidit. On le sent prêt à attaquer. Il parle de son groupe de rap, nous dit les mots en les chantant presque. Il voudrait bien retrouver une cassette pour nous prouver qu'il a du talent. De cela il est certain. Autant d'assurance et de fragilité. Plus d'assurance que moi. Josué est un leader-né. Je sais, pour avoir tout lu sur lui, qu'à six ans il se querellait avec ses parents pour pouvoir fréquenter l'école. Il refuse d'être pauvre comme eux. À l'école, c'est un premier de classe. Il excelle au foot et, vers l'âge de dix ans, forme un groupe de rap qui s'inspire du zouk. À douze ans, toujours premier de classe et meilleur buteur de son équipe, il enregistre une cassette qu'il vend dans les marchés. Il a un sens de l'organisation remarquable. Quelques semaines avant qu'il ne soit kidnappé par Kabanga, son groupe de rap avait commencé à donner des spectacles dans les restaurants et les bars de Bunia. Il avait treize ans !

— Nous allons te protéger, Josué, et retrouver tes parents. Je sais ce que tu as vécu, j'ai lu ton témoignage pour la Cour et ceux des autres enfants soldats de Kabanga.

— Je ne suis pas tous les enfants soldats, je suis Josué et vous ignorez mes cauchemars. La transpiration qui vient du cauchemar, vous la connaissez ? Elle sent mauvais, elle sent comme les cadavres qui pourrissent dans les marais. Quand je me réveille, je pue le cadavre. Je suis un cadavre.

— Nous allons te soigner, Josué.

— Je ne suis pas malade, monsieur, je suis envoûté. Le mauvais esprit m'habite.

Cette conversation ne mène nulle part.

Je lui explique mon plan pour la libération de ses parents. Ce n'est pas vraiment un plan, plutôt une intuition, une théorie comme toujours. Je construis la réalité à partir de données et, quand je l'atteins, j'espère qu'elle se conformera à ce que j'ai imaginé.

Il craint de revoir ses parents. « Aimes-tu tes parents ? » Il se fige, me dévisage comme si je l'avais insulté.

Voilà, je le sais maintenant, une question qu'on ne pose pas à un enfant même s'il a presque vingt ans et que, depuis le début de la guerre il y a six ans, il a vécu comme un adulte. Un enfant ici ne peut dire qu'il n'aime pas ses parents.

— Tu connais tout et ne comprends rien. Tu me parles comme si j'étais un enfant. Regarde l'enfant.

Il enlève son tee-shirt des Lakers, baisse ses joggings trop larges et puis laisse tomber son slip sur le plancher.

— Regarde, ils m'ont coupé une couille quand j'avais quatorze ans parce que j'avais refusé de violer une fille que je connaissais. «Impuissant, que le chef avait dit, tu n'as pas besoin de deux couilles.» Ici, la cicatrice sur le bras, c'est un coup de machette, la petite marque noire près de l'épaule, une balle perdue, et je ne te dis pas ce qu'ils ont fait à mon derrière pour s'amuser quand ils étaient soûls, les chefs. Est-ce que tu sais quelle douleur ça fait un cigare allumé qu'on te plante dans le cul? Kabanga adorait les cigares cubains.

Il se rhabille calmement et s'assoit sur le divan doré orné de coussins dépareillés. Il me regarde et attend. C'est un regard de mangouste et je suis le serpent peut-être.

— Tu veux que je te mène chez un médecin?

— Elles sont guéries, mes blessures. Est-ce que tu connais les blessures de la tête? Tu dors, toi. Et quand tu dors, est-ce que tu vois dans ta tête des figures ensanglantées, des culs de femmes éclatés à coup de massue, quand tu dors, est-ce que tu entends des râlements de bêtes agonisantes et quand tu te retournes vers les bêtes qui ont le ventre ouvert, est-ce que tu vois des visages aperçus au marché? Quand tu dors, tu vois quoi? Je veux retourner en arrière, avoir treize ans même si j'en ai dix-neuf. Tu peux me donner ça ? Recommencer.

Je sais bien que je ne peux pas. Toutes les études que j'ai lues expliquent que la très grande majorité des enfants soldats sont irrémédiablement rejetés par la vie normale, qu'ils ne parviennent pas à renouer avec l'enfance, qu'ils avancent dans la vie comme dans une sorte de no man's land. Jamais enfant, jamais adulte. Le passé subtilisé, l'avenir interdit.

— Et si tu venais à Bunia avec nous, avec ma femme et moi, on pourrait peut-être t'aider, rétablir un peu de justice.

Je sais bien en prononçant ces mots que, sans réfléchir, je viens de me rendre responsable d'un enfant de dix-neuf ans. Un enfant qui deviendra un marginal ou, pire encore, qui redeviendra le tueur enfant qu'il était car il ne connaît que la violence. Je propose de devenir le père adoptif d'un psychopathe potentiel.

Josué accepte ma proposition. Je le protégerai et libérerai ses parents. Il n'est pas certain que ses parents voudront le voir, car ils ont honte de lui, mais il accepte.

39

À mon retour à l'hôtel, Myriam écoute attentivement mes explications et le plan que nous avons établi dans le cas Josué. Elle sourit pendant que moi je planche et réfléchis.

— Est-ce que tu le trouves sympathique ? T'a-t-il ému ? Lui as-tu demandé ce qu'il souhaitait faire ? Veux-tu l'adopter ?

— Myriam, il s'agit de libérer les parents d'un enfant soldat, pas d'ouvrir une agence d'adoption !

Elle se dresse sur le lit et son regard de diamant pourrait couper le verre. « Tu es venu faire quoi ici ? » J'évite ses yeux brillants, je détourne mon regard de son corps nu. L'émotion est mauvaise conseillère, on le dit depuis des siècles. Je me couche et feins d'ignorer son corps gracile qui s'allonge à mes côtés, installe une jambe entre les miennes, pose un bras sur mon épaule.

Comment vais-je organiser la libération des parents de Josué ? Dans le premier élan de colère et de honte face à la Cour qui bafouait la justice au nom du droit, j'ai pensé que je m'installerais à Bunia comme une sorte d'espion de la justice, la vraie, que je consta-terais les conséquences tragiques de la libération de

Kabanga. Que je pourrais faire rapport comme dans mon ancien métier d'analyste, que j'alerterais les ONG et mes ex-collègues à la Cour, que peut-être mon rapport couvrirait de honte les obsédés de la procédure et du droit idéal. Maintenant, je dois agir, avoir un plan. Je ne suis pas un homme d'action, je l'ai compris durant mes quelques aventures militantes de jeunesse. Pris par la vie, par le concret, je me transforme en impotent, perds tous mes moyens d'analyse, je redeviens l'émotif adolescent que je ne veux pas être. Il faut que je me méfie de toutes les émotions. Et Myriam est une émotion. En même temps, je sens que mon corps et peut-être aussi d'autres failles ou d'autres abîmes réprimés en moi sont tirés vers elle par des fils que je ne parviens pas à nommer. Je les sens qui collent à mon épiderme comme une toile d'araignée. Je tente doucement de m'éloigner de sa chaleur. Elle est pressée contre moi.

Demain, Josué nous rejoindra à l'hôtel, puis nous planifierons notre séjour à Bunia. Myriam souffle doucement dans mon cou. Faire l'amour maintenant scellerait une alliance définitive ou presque. Il faut que je réfléchisse, fuir la vie et ses émotions. Quand j'aurai accompli mon travail, travail que j'ignore, je pourrai me permettre d'explorer le marécage brumeux et mystérieux de ce qui ne se raisonne pas. Pas avant.

1) Après Josué, retrouver les autres, ceux et celles qui ont témoigné ou devaient le faire et qui ne profitent plus de la protection de la Cour.

2) Les regrouper, inventer une nouvelle forme de protection. Comment?

3) Cela exclut, pour les enfants, le retour dans les familles. De toute manière, les familles renient généralement les enfants soldats. Comment faire sans les familles?

4) M'installer à Bunia, m'y insérer, jouer un rôle, acheter un commerce peut-être, trouver des alliés. Pas évident.

5) Qui contrôle la ville? Kabanga ou les Libanais des comptoirs d'or et de diamant? La mafia libanaise? Les Ougandais sont-ils toujours présents? Et les Rwandais?

6) Devenir « africain ».

Rendu à 7, je pose mon stylo, me regarde dans le miroir et constate que l'homme que je regarde ne sait pas où il va.

Le matin de Kinshasa. À neuf heures, les petits commerçants de la rue ont déjà faim. Ils se sont levés à cinq
heures. Ils ont marché plusieurs kilomètres avec leurs
maigres marchandises posées sur la tête. Ils ont le ventre
creux et les yeux hagards. Ils attendent impatiemment
les fonctionnaires de l'État ou les employés des ONG
ou des Nations unies qui achèteront un paquet de
Marlboro, ce qui leur permettra de se procurer
quelques beignets et de calmer les gargouillements de
l'estomac vide que l'oreille entend. J'admire la rési-
lience. Tant de faim, de pauvreté, si peu de colère, si peu
d'envie dans le regard. J'achète des cigarettes même si
je ne fume pas, de la gomme Dentyne Ice même si je
n'en mâche pas. Je bois un jus de fruit, aurai-je la
chiasse? Je ne donne pas aux mendiants, je donne aux
commerçants. Je joue le jeu du travail rémunéré. Je ne
laisse pas la monnaie. Je paie le juste prix qui est bien
sûr celui du Blanc. Mais ce prix est plus que juste. On
dirait qu'il y a plus de klaxons ici qu'à Montréal ou à
Paris, autant de feux de circulation, mais ils ne fonc-
tionnent pas. Une sorte de modernité de pacotille, une
imitation de la société occidentale et de sa richesse.

Pour tout le reste, nous sommes dans une jungle jubilatoire, une jungle urbaine. À ma grande surprise, je me complais dans cette excitation perpétuelle, dans l'excès de cris et de rires. Comment expliquer que ce désordre de vie me plaise et que je craigne les légers tremblements que la présence de Myriam provoque dans mon corps et mon esprit? Je dois préférer le désordre extérieur au mien. Il faudra bien résoudre cette contradiction car cette réponse ne me convainc pas. Plus tard. Pour le moment, je dois parler à Josué.

42

Myriam adore Josué et c'est réciproque. « J'ai toujours voulu avoir un enfant, mais je me méfiais des pères. » Il regarde l'eau couler dans la baignoire, joue avec les robinets, déclenche par inadvertance le mécanisme de la douche et le jet l'effarouche comme un chat, demande à quoi sert le bidet. Il n'a pas dix-neuf ans, maintenant, il a sept ans et découvre une baignoire et une douche. Il a aussi sept ou dix ans quand il accepte de se laisser savonner par Myriam. Malgré son sourire timide quand il sort de la salle de bains, son regard est plus âgé que le mien, comme si cet enfant était plus vieux que moi.

Maintenant, Josué dort dans la chambre voisine. Myriam, j'imagine, fait semblant de dormir.

La porte s'ouvre et Josué dit : « J'ai peur, il y a des esprits, je ne veux pas dormir seul. J'ai peur. » Et il tremble, il transpire, il est terrorisé, regarde les yeux exorbités le plafond, les murs, tous les objets qui pourraient se transformer en monstres ou en fantômes. « Viens dormir avec moi. » Le ton de Myriam est celui d'une maman attendrie. Josué se couche près d'elle, un peu timide. Elle le prend dans ses bras comme l'enfant qu'il est en ce moment. Demain, je le sais, il tuera. Je dormirai sur le sofa. Et Myriam dort avec Josué qui est aussi un homme.

Je vois Bunia du haut des airs, ébloui par le soleil qui se reflète sur les toiles bleues des tentes de réfugiés et de déplacés qui parsèment les collines. Le Tupolev qui toussote a fait un passage en rase-mottes au-dessus de Bunia. Le pilote à l'accent sud-africain a grésillé : « Welcome to Bunia. » Bunia n'est qu'une rue principale au centre d'une toile d'araignée qui tisse ses fils à l'infini. Josué montre une colline. C'est là qu'il habite. Pas de hutte, pas de maison, d'innombrables toiles bleues. Myriam dit : « C'est joli les collines autour de la ville. » Je me trompais, il n'y a pas d'aéroport à Bunia. C'est une piste en terre avec autour des préfabriqués ou des conteneurs de métal blanc marqués aux lettres de la MONUC avec le sigle bleu de l'ONU. Josué, terrorisé par les grincements de l'avion, me serre violemment le bras pendant la descente finale. L'atterrissage est brutal. Les ongles de Josué pénètrent dans mon bras et il se tourne vers moi comme si l'avion allait se démanteler et que j'allais être son sauveur, son dernier recours. Une telle terreur dans ses yeux, un tel abandon de sa tête qui se pose sur mon épaule et de son corps qui se glisse vers le mien. Je pose une main hésitante sur la sienne qui serre comme si ma main était une bouée, puis je me tourne vers lui, le regarde droit dans les yeux : « N'aie pas peur, je suis là », et je le prends dans mes bras. Son corps est chaud, pue la transpiration de la peur, il réprime ses larmes quand l'avion ralentit sur la piste bosselée et trouée puis roule en cahotant de plus en plus légèrement jusqu'à ce que notre chemin ressemble à une piste africaine que Josué connaît. Il retire les ongles de ma chair, mais ne quitte pas mon étreinte. Il reprend son souffle, se détend, relève la tête. « Maintenant je n'aurai plus jamais peur de l'avion. »

44

Joseph, qui nous accompagne à Bunia, a tout prévu. Un Cherokee nous attend. Des fonctionnaires aussi, qui proposent leurs services pour faciliter les affaires. Joseph est un vrai Congolais honnête. Il est d'accord sur les principes, la justice, la démocratie, l'honnêteté, mais se préoccupe plutôt de l'intendance et de la survie, me demande quelques billets américains qu'il distribue. Josué est nerveux, Myriam resplendissante. La rue principale de Bunia se déroule comme un décor de cinéma. Un vieux western, des commerces comme des saloons, des façades ornées de bandes bleues à la base et des frontons sur les toitures derrière lesquels pourraient se cacher des snipers comme dans les films ou les bandes dessinées. L'Hôtel Bunia fait face à un comptoir : « Ici on achète des diamants. » Grille de fer, malabars musclés et armés. Règne ici le droit des armes et de tout ce qui s'échange, le droit de l'absence de droit. Beaucoup de Blancs dans le hall, des Libanais pour la plupart qui sirotent du thé en égrenant un chapelet d'ambre. Déjà quelques filles au bar qui tètent un coca en affichant leur ennui. Josué ne cesse de se retourner, de me prendre le bras. « Je le connais, lui. » Josué me pousse sur le mur en désignant d'un doigt timide un Libanais adipeux et mal rasé. « À la fin des combats, il faisait affaire avec les Rwandais, et Kabanga lui vendait tous ses diamants et tout son or. »

Josué veut dormir avec nous. Quand nous nous parlons, il me prend parfois la main et cela me trouble.

Des chambres communicantes, cela n'existe pas, mais il y a une suite avec trois lits, des murs fissurés, des fenêtres disjointes, une douche qui ne fonctionne pas, de jolis petits lézards verts, une ampoule qui clignote plus qu'elle n'éclaire, des photos de gorilles sur les murs, un climatiseur qui souffle comme un cheval de trait épuisé. Je ne me suis pas trompé. Pour des raisons inexplicables, le menu du restaurant de l'hôtel est plutôt asiatique, fromage vietnamien compris. Cela me rassure. Je n'ai pas tout faux. Le proprio est venu s'installer à la table avec une bouteille de Côtes du Rhône qui a chauffé dix ans sur son étagère. Oui, je suis venu faire des affaires, comme on dit. Sayed est kurde. Il a une moustache de combattant et des yeux de chat.

Josué me dit à l'oreille qu'il va chercher les autres témoins et m'en donner des nouvelles. Puis il s'éclipse en douce. Je ne pose pas de question sur Kabanga, j'attends. Sayed parle de négoces. Il souhaite un associé, me parle du pourcentage qu'il prend sur les filles, les meilleures en ville, du faible coût des importations vietnamiennes. Josué n'est pas revenu, je m'inquiète. Myriam porte le voile, mais ne refuse pas le vin. Elle se lève et se met à danser sur une chanson de Céline Dion qui passe à la radio. « Tu ne m'as pas regardée danser. »

Je me sens responsable de Josué, non pas comme un père, mais comme un gardien officiel. J'ai peut-être manqué à mon devoir et, pire, j'ignore ce que je ferai demain. Ce sentiment est insupportable. Comme si la vie m'échappait. Tout chez moi est planifié et organisé, et oui, j'ai admiré Myriam qui dansait, mais j'ai fermé les yeux. Je monte à la chambre en prétextant des appels téléphoniques à faire. Un lézard dort sur mon calepin de notes. Je me couche sans éteindre l'ampoule qui clignote comme si elle était prise d'un hoquet permanent. Myriam rentre pompette et veut faire l'amour. Je la repousse, lui explique assez froidement que j'ai des soucis parce que Josué n'est pas revenu. Elle m'explique que c'est bien parce que Josué n'y est pas qu'on peut s'aimer. Je ne l'aime pas, du moins pas ce soir, car son affection me distrait. Je pense à Josué et à ce que je dois faire demain.

Je m'endors désemparé après trois heures devant mon calepin et le lézard qui me regarde et semble m'interroger. Avant de me coucher, je me demande si c'est toujours le même lézard qui a élu domicile sur la table de travail. Pour demain, mon programme est simple. Me lever, me doucher, manger, attendre Josué et qu'une idée vienne ou qu'un événement se produise. Myriam ronfle légèrement. Cela m'agace.

45

Pas d'eau chaude ce matin. Je suis extrêmement frileux. Pas d'œufs non plus. On a oublié d'en livrer. Le patron demande pardon. Il propose fromage vietnamien et Primus chaude parce que le frigo s'est éteint en même temps que la génératrice. Il peut me faire un Nescafé froid si je ne veux pas boire de bière. « Et c'est la maison qui offre. » Tout cela amuse Myriam qui a connu bien pire jadis et m'énerve à un point qui me surprend. Décidément, je ne suis pas près de devenir africain. Pas de nouvelles de Josué. Je retourne dans la chambre avec un Nescafé froid. Le lézard m'attend sur la petite table et semble me narguer. Dans cet univers brouillon, je suis comme une barque égarée et perdue, soulevée et renversée par de puissantes lames de fond. Je suis naufragé à Bunia.

Je voudrais rentrer chez moi. Quelle pensée absurde ! Chez moi maintenant ne peut désigner que le lieu où je m'installe en passant. J'imagine les mots « chez moi » en attendant le patron qui me dira si on peut manger. Ce peut être une chambre décorée d'un tableau qu'on aime, une bibliothèque meublée de toutes les phrases aimées, une maison avec des enfants,

un quartier avec des voisins et des marchands qui parfois nous énervent, une ville peuplée d'inconnus dont
on connaît les habitudes, mais aussi de quelques amis
dont on sait et aime les défauts autant que les qualités.
Chez moi, ce peut être un parc, un trottoir, une femme,
une forêt. Oui, une femme comme une forêt sombre
dans laquelle on avance avec précaution, et je sais bien
que ce n'est pas Myriam car je l'ai prise comme on choisit une destination de vacances, avec des frissons, des
émotions certes, de l'affection bien sûr, mais je l'emprunte comme une chambre d'hôtel ou une route. Je
serai toujours ailleurs. Attendons. Je n'ai pas d'autre
choix. L'absence de Josué m'inquiète.

46

Aujourd'hui, on peut manger des nouilles et du poulet. La génératrice a repris du service. La bière est tiède. Myriam est partie s'acheter des tissus. Le Libanais adipeux transpire abondamment et, quand il s'installe à ma table sans s'annoncer, je réprime une nausée naissante. Il dit « Karim » et me tend une main moite. Je dis « Claude ».

— Comme ça, vous êtes venu à Bunia pour faire des affaires.

— Oui, je regarde.

— Je pourrais peut-être vous aider. Moi je fais surtout dans le diamant, mais il y aura bientôt des opportunités dans l'or et le coltan. Nous avons besoin d'amis et d'un peu d'argent.

— Nous ?

— Des amis, des notables de la région, des personnalités politiques qui veulent redonner une nouvelle vie à l'économie locale.

— Je ne connais rien de l'Ituri, vous parlez de qui et de quel groupe ?

— Je vous ferai signe, monsieur Claude, quand ce sera le temps.

Je sais bien de qui il parle. Joseph m'a procuré les derniers rapports de la MONUC. Kabanga, depuis son retour, a choisi la discrétion, mais les marchands de l'ethnie hema qui ont toujours dominé la vie économique de la ville se réunissent dans sa villa. C'est le même groupe qui avait pris le pouvoir en 2002, pillé les mines d'or, trafiqué le diamant, contrôlé le coltan.

— Monsieur, monsieur.

C'est un petit roux crépu qui me tire la manche. Dix ans peut-être, des yeux aussi noirs que sa peau qui me dévisagent. Il me demande s'il peut avoir du poulet s'il vous plaît, monsieur. Je commande du poulet et des nouilles et il les dévore. Il me tend un bout de papier et je lis : « Salu chef, oubli mes parents. Ils ne veule pas de moi. Ils n'ont pas été enlevé. Ils voulaient de l'argent. J'ai retrouvé Marie, Aristide, Béatrice aussi et d'autres enfants soldats. Nous avons quelques fusi. On reprend l'entraînement pour faire la justice. Tu vas être fier de nous. On est comme toi, on veut la justice. Quand nous serons prè, je t'envoie un autre message. »

Benjamin, il s'appelle ainsi le petit qui dévore, la bouche débordante de nouilles, dit que je dois répondre. Malgré la chaleur pesante, je suis glacé. Je frissonne. J'écris, trébuchant sur les lettres, comme si écrire, pour la première fois de ma vie, constituait une course d'obstacles, un cent dix mètres haies.

« Josué, la justice n'est pas la vengeance. La justice, c'est ce qui est juste et prouvé (j'écris des conneries, il

193

ne comprendra rien). Prenez du temps pour réfléchir. Le meurtre du meurtrier n'est pas juste (encore une fois, je suis certain qu'il ne peut pas comprendre). Ne faites rien avant qu'on se parle. La justice doit être juste. »

Et c'est bien parce que la justice ne fut pas juste que je suis ici.

— Il est où, Josué ?

— Je ne connais pas de Josué.

Et Benjamin demande une bière avant de partir. Je lui commande une bière.

Myriam rentre déçue, le marché est maigrement approvisionné.

Elle ne s'émeut pas autant que moi de la lettre de Josué. En fait, elle ne s'émeut pas du tout.

— Est-ce que Kabanga est coupable ?

— La preuve dont nous disposons dit que oui.

— Alors, quel est le problème ?

— Ici, je sais, le problème n'existe pas. Josué et les autres savent dans leur chair, dans leur âme que Kabanga est coupable, mais la vengeance, même justifiée, n'est pas la justice. Il y a la règle de droit.

— Nous avons quitté la Cour parce que la règle de droit empêchait la justice, Claude.

Depuis mon départ de La Haye, je me suis demandé souvent comment je réagirais quand je me retrouverais face à face avec Kabanga. Il faut comprendre. Cet homme est mon ennemi intime. J'ai passé trois ans de ma vie à noter, à expliquer, à décrire ses vices, ses turpitudes et ses crimes. Disons que c'est une haine raisonnable et documentée.

Mais voilà, il entre dans le restaurant, semble aussi normal que moi, est imposant, bel homme comme sur les photos, vêtu d'une veste de lin blanc écru. Comme il est devenu pasteur, il arbore une croix énorme comme le pape sur sa chasuble. Je ne ressens rien, seulement de la curiosité. Suis-je incapable d'émotions ? L'homme que je traque depuis trois ans serre des mains comme un candidat à une élection. Il le fait avec élégance et dignité. Il est accueilli avec respect.

Il se présente : « Thomas Kabanga, pasteur de l'Église évangéliste de Bunia. Vous permettez ? » Je demeure muet. Il s'assoit et commande du riz et des haricots. Ses deux gardes du corps s'installent à une table voisine. Car le pasteur possède une garde rapprochée. Nous mangeons en silence et je me demande dans quel monde je me suis fourré. Je mange avec Kabanga.

— Quelques amis m'ont dit que vous êtes canadien. C'est un beau et grand pays. Ces mêmes amis m'ont aussi dit que vous vouliez investir à Bunia. Cela est surprenant. Il n'y a ici que les minières et les pétrolières canadiennes qui osent s'aventurer. Votre femme est magnifique.

Myriam baisse les yeux.

— Monsieur le Canadien, je suis le protecteur et le pasteur de Bunia. Je prêche la parole de Dieu et je protège les gens de ma communauté. J'ai dû agir violemment dans le passé, mais je crois que ce temps est révolu. Comme mon ami Karim vous l'a dit, nous avons besoin d'appuis pour mieux développer cette région. Nous serons heureux de vous compter parmi les nôtres. Alors, si jamais vous avez besoin de conseils, je suis à votre disposition.

Il se lève, esquisse un geste emphatique qui ressemble à une bénédiction et me tend la main. J'hésite, mais je lui serre la main.

Plouézec, j'aurais besoin de ses grandes marées, de la bruine du matin et du soleil qui éclate sans prévenir. Ce pourrait être là chez moi. Partir, soudainement, c'est mon seul souhait. Je viens de serrer la main de mon pire ennemi. Évidemment, on lui a dit qui je suis et il se moque joyeusement. Tout ici n'est que vacarme et bousculade, odeurs pugnaces et multiples, trans-piration et parfum de pacotille, concert de klaxons, interpellations, couleurs discordantes, tragicomédies, théâtre, représentation. J'aime cette cacophonie, ce désordre, je souhaiterais m'y glisser, mais je n'y parviens pas. Un fil me retient que je n'arrive pas à reconnaître.

Peu importe de quel côté on regarde, la mer n'existe pas ici. Elle me semble aussi loin que le bon-heur, ce miel que je ne connais pas. Seuls les bruits et les froissements de la terre, seuls les sons des humains, leur brutalité cacophonique me rejoignent. Ils m'attirent et me repoussent. Une grande marée, celle qui lave le lit des baies et défait les falaises, me ferait énormément de bien. Un peu de paix, un peu de silence. Non. Myriam me relance sur la justice et le droit, sur l'équité et la ven-geance. Je pense à Josué et à mes autres enfants que je ne connais pas. Sur mon poignet gauche paraissent encore les marques griffées de sa peur lors de l'atterrissage. Mes enfants ! Je m'invente maintenant des enfants. Je ne les connais pas. Ce ne sont que des enfants de papier, des enfants de témoignage, des poupées presque. Je crois connaître tout de leurs douleurs, mais seules leurs plaies que je n'ai pas vues et des milliers de pages de mots que je n'ai pas entendus me lient à eux. Lire la vie n'est pas comprendre, c'est construire, déduire, imaginer. On peut lire le monde, pas quelqu'un. Je ne les connais pas, je n'ai pas vécu les premiers balbutiements, les hurlements, les premiers pas et surtout la première blessure. Je veux bien les défendre, mais pourrais-je les aimer ? Et si je ne les aimais pas ? S'ils n'étaient finalement que des Kabanga en herbe ? Pas besoin d'aimer pour défendre. D'ailleurs, comment les défendre ? Je ne peux rien pour eux, je ne suis plus à la Cour, je ne peux que les accompagner, leur donner un peu d'argent, essayer de les conseiller. Je me souviens d'une étude d'un psychologue américain. « On ne peut transformer impunément un enfant en adulte. En imposant des comportements d'adulte à un enfant, on lui fait perdre ses repères d'enfant. Mais quand il torture ou tue, il le fait avec ses yeux et ses réflexes d'enfant. Devenu adulte, il n'a pas des cauchemars d'adulte, mais des cauchemars d'enfant. Il transporte son enfance violée dans sa vie d'adulte. Cela donne un adulte enfant, une personne schizophrénique qui souffre de la violence causée, mais qui ne connaît que la violence comme mode d'expression. » Mes enfants de papier sont malades. J'ai besoin de réfléchir. Et dans ce lieu perdu, je fais comme tous les expatriés qui réfléchissent ou tentent d'oublier, je bois sans même m'en rendre compte, comme si boire constituait une forme de respiration automatique, de réflexe conditionné.

Je n'ai pas eu d'autres nouvelles de Josué depuis dix jours. Myriam disparaît régulièrement et me parle de ses réunions à la Ligue des femmes pour la paix. Karim insiste pour que nous fassions des affaires et pue toujours autant. Madeleine, une prostituée, vient parfois s'asseoir avec moi pour me dire qu'elle m'aime bien et qu'elle le ferait gratuitement avec moi. Le lézard m'observe. Les Blancs de l'ONU m'évitent, je ne sais trop pourquoi. Oui, je le sais. Cela ne m'attriste pas. Comme si c'était dans l'ordre des choses, dans l'ordre de ma vie. Demeurer dans la marge comme une note, une observation à côté d'une page que d'autres écrivent et qui m'effraie, car si je m'y installe, tous ces mots gorgés de sang ou d'émotions vont m'étouffer, me paralyser. Ne pas se donner, ne pas s'abandonner. Je préfère commenter la vie, l'observer. Le lézard ne me croit pas. La Primus est chaude, les nouilles froides, le fromage vietnamien d'un autre siècle. Je devrais tenter d'y trouver quelque satisfaction, mais je n'y parviens pas. Je devrais proposer à Sayed, le patron, de prendre son restaurant en gérance, de le transformer en bistro français. Quand je m'y mets, je fais bien la cuisine.

Sayed passe. Je l'invite à s'asseoir, lui verse un peu de Primus, lui parle de cette idée de bistro. Il sourit. J'avais compris que le fromage était vietnamien et la cuisine vaguement asiatique parce que sa femme est vietnamienne. Qu'un Kurde soit marié avec une Vietnamienne et dirige un hôtel à Bunia ne m'avait pas surpris. Flux migratoires, exils, conflits. À force d'analyser les bouleversements du monde, de les classer et de les comprendre, on trouve tout normal et explicable. Mais la rencontre de deux personnes, une union peut-être née de toutes ces tragédies? « C'est la première fois que tu me poses une question personnelle. » Sayed baisse les yeux comme pour se recueillir un moment, puis son visage s'éclaire. C'est une histoire de plage, une rencontre sur une plage. Celle-ci ne se reposait pas en attendant les grandes marées, elle était battue, cette plage espagnole des Canaries, par une tempête qui chavirait les chalutiers, les thoniers et encore plus les esquifs débordant de clandestins qui fuyaient tous les conflits de l'Asie et de l'Afrique. Ils furent plus de deux cents épaves humaines, cette nuit-là, dont Sayed qui fuyait le Kurdistan. Une quinzaine d'années auparavant, une fillette vietnamienne de sept ans fut recueillie par un bateau français, jetée dans un camp de boat people en Malaisie, puis acceptée comme réfugiée en Espagne. Reconnaissante, elle devint plus tard volontaire de la Croix-Rouge, puis employée. On lui proposa les Canaries et ses plages. Elle adorait la mer, jusqu'à ce que la mer ne lui renvoie que des cadavres ou des déshérités. Ce soir d'ouragan, elle ne recueillit qu'un seul survivant. Sayed. Elle décida d'en prendre soin. Il baisse les yeux, les relève et sourit de nouveau. « Et tu connais la suite. » Non, je ne la connais pas. Bien sûr, je peux l'imaginer, la construire, je peux ne pas l'entendre, ne pas la vivre. Je veux savoir la suite, le premier baiser, la première nuit, les frissons, les regards, les mots, les silences, le froissement des draps, la couleur des murs de la chambre, le chant des oiseaux ou les cris dans la rue, la timidité ou l'audace. Je veux tout savoir de leur vie. Combien de vies ai-je ratées faute de poser des questions aussi simples que « comment, quand, où » plutôt que « pourquoi » ? « Tu ne me demandes pas pourquoi nous sommes ici à Bunia, plutôt qu'à Barcelone ? Je vais te le dire même si tu ne le demandes pas. » Maïko avait pris la mer en haine. Elle avait passé quatre-vingt-dix jours sur un esquif, sa mère avait été bouffée par un requin. Aux Canaries, elle ne voyait que des cadavres exsangues portés par les flots. Plus jamais la mer, avait-elle dit, et Sayed avait acquiescé. Ils avaient choisi l'Afrique, parce qu'ils craignaient l'Occident qui respectait peu leurs croyances et leurs coutumes, puis le milieu de l'Afrique, loin de toute marée. « Nous sommes arrivés ici en 2002. Deux jours avant le début de la guerre. Nous avions acheté l'hôtel, non, Maïko avait acheté l'hôtel par l'intermédiaire d'un de ses cousins propriétaire d'un restaurant vietnamien à Kinshasa. C'est terrible ce que Kabanga a fait avec ces enfants. Je te raconterai, mais ça devra rester entre nous. Il est encore dangereux, Kabanga. »

Et le premier baiser ? Sayed rougit. Ce fut sur la

plage. Un baiser sur le front. Le deuxième, ce fut sur la joue à l'hôpital. Le troisième, je te dis pas.

Moi, à la terrasse du Bellevue, au-dessus de la baie qui se remplissait de mer et de silence et de paix, je décidais de sauver le monde. Isabelle et Emma passèrent devant moi en me souriant. Le sourire parle. Je n'ai pas répondu.

Je marche sur l'avenue de la Libération, passe devant le Café de la Paix, puis devant le poste des Nations unies, jusqu'au marché qui est pauvre et normal. Rien n'est joli, ni admirable. De la poussière, des klaxons, des enfants qui vendent des cartes pour les portables ou des Marlboro contrefaites. De tout petits morceaux de vie. Comment expliquer qu'ils m'enchantent et me rassurent, en même temps que le pays, la ville, le monde me désespèrent? Pourtant, les uns vivent dans les autres. Ce qui me fait sourire n'est pas une molécule unique et indépendante, c'est un enfant qui m'émeut et me sourit dans une ville que je hais. Comment réconcilier mes visions du monde, la tendresse et la douleur, le mensonge et la ferveur, l'innocence et la brutalité?

Je rentre à l'hôtel et pose la question à Sayed, pas la question, mais les questions.

— Si tu n'as pas déjà trouvé par toi-même, je crains bien que tu n'y parviennes pas. La réponse est tellement simple : aimer quelqu'un. Prends Maïko et moi. Je comprends sa hantise de la mer, les boat people, les Canaries jonchées de cadavres. Maïko comprend ma nostalgie des montagnes enneigées et sait que je rêve de la mer qui m'a mené jusqu'à elle. Je sais son ennui de Saigon, et elle, mon rêve de Mossoul. Nous en parlons, regardons des photos, des émissions à la télévision, les larmes aux yeux. Si tu savais comme nous pleurons ce monde si mal fait qui nous a réunis et les deux pays que nous avons quittés. Mais finalement nous l'acceptons, ce monde tordu, parce qu'il nous a réunis, nous a donné une maison, un chez-nous.

Sayed, les yeux brumeux, ce qui n'est pas le propre d'un guerrier kurde, se lève pour servir des clients. Aimer quelqu'un, quelle chance! comme une indulgence, une bénédiction qui protège des péchés et des maux, des damnations et des souffrances, comme la foi qui rend les croyants généreux. Mais existe aussi le risque d'aimer. Je dois retrouver mes enfants. Le risque d'aimer. Je pense toujours au danger d'aimer et jamais à l'audace. Je vais commencer par Josué et les enfants.

49

Le lézard dort sur mon calepin. Myriam maugrée allongée sur le lit. « On ne fait rien ici, on s'emmerde depuis trois semaines. Tu ne parles pas, tu réfléchis. Tu ne t'occupes pas de moi. Je vais rentrer à La Haye, je trouverai bien un job de traductrice ou de serveuse. » Je déplace délicatement le lézard pour ne pas troubler son sommeil. Nous sommes devenus amis, lui et moi. « Tu fais comme tu veux, Myriam. » Nous avons tout fait ce qu'on peut faire à Bunia. Prendre un verre au Café de la Paix, manger avec les Libanais qui ne parlent que de trafics et de petites magouilles, aller au cinéma. Ah, le cinéma ! Une grande pièce blanchie à la chaux, une vingtaine de chaises de résine, une glacière pleine de Primus, une grosse télé posée sur une étagère de métal probablement volée à la MONUC et tous les films de Jackie Chan et de Sylvester Stallone. Puis une bière à l'hôtel. De la musique kurde ou vietnamienne en alternance. Sayed et Maïko toujours émerveillés d'avoir été réunis par ce monde foutu dont ils nous relatent les bêtises et les erreurs. Car dans la cuisine ils écoutent la BBC. Ils souhaitent avoir des enfants. Nous sommes même allés au service dominical de Kabanga qui a connu la révélation de Dieu dans sa froide cellule de La Haye, une cellule humide indigne d'un chien. Une nuit, une chaleur l'envahit, puis une lumière apparaît et une voix se manifeste, impérieuse et solennelle. « Tu as péché par le glaive, tu ne connaîtras la rédemption que par la croix. Le peuple hema ne dominera que s'il suit le chemin que lui trace ma parole. » L'assistance se perdait en « Allélluia » et en « Dieu protège les Hema ». Sous le chapiteau, tous vêtus de blanc comme lui, les lieutenants militaires de Kabanga tendaient les bras vers le ciel, hurlant des « Dieu est grand » que la foule reprenait en chœur. Myriam souriait. J'avais envie de vomir. Nous nous sommes aussi rendus au lac Albert, avons mangé avec des Canadiens qui sont dans le pétrole. Ils attendent que Kabanga reprenne le pouvoir. Je pensais à Josué dont j'étais sans nouvelles, mais qui alimentait la rumeur, selon ce que me rapportait Joseph.

Myriam voulait vivre. Quoi ? Elle ne le savait probablement pas. Mais ce n'étaient pas nos étreintes mécaniques, de plus en plus espacées, qui pouvaient lui donner seulement l'illusion de vivre. « Fais comme tu veux, Myriam. »

50

Myriam est partie. Je ne m'en suis pas rendu compte. Plus je réfléchis, plus je bois. Parce qu'en Afrique le Blanc inactif s'installe à la terrasse et boit, passe au restaurant et boit. Cela ne vient pas de l'envie de boire, mais plutôt de l'envie de rien. Je devais dormir profondément pendant qu'elle faisait ses valises. Son départ ne m'attriste pas. C'est une autre faillite que j'aurais dû prévoir. Ma vie avec les humains n'est qu'une suite remarquable d'erreurs. Je suis incapable d'aimer ou j'ignore le mode d'emploi. Mais le résultat est le même. Je suis seul et n'aurai jamais de chez-moi. Sayed confond ma griserie de plus en plus permanente avec une peine d'amour. Je suis sans nouvelles de Josué depuis plus d'un mois et Joseph est introuvable depuis quelques jours. Madeleine me le fait gratuitement et me chuchote des phrases amoureuses en mimant la passion. Le Libanais a compris que je ne veux pas investir dans ses trafics.

Je suis passé de la Primus au whisky. La Primus plombe, alourdit le corps, le whisky l'engourdit. Je donne un peu de sous à Madeleine maintenant, car elle monte souvent et elle a trois enfants. Elle n'a pas protesté quand je lui ai donné les premiers vingt dollars, ni ne m'a remercié. Madeleine a juste souri. Elle est gentille, elle m'émeut parfois avec tous ses espoirs naïfs, mais si sincères, ses yeux qui ne regardent pas vraiment, son rire qui rit de tout, ses pleurs qui viennent de je ne sais où. Je suis jaloux. Je suis sans pleurs et sans rires. Je peux être triste et sourire. Mais pas plus. Sayed croit au destin et, puisque je suis un homme bon, une femme bonne apparaîtra certainement poussée par une vague déferlante qui dépose les amours sur les plages. Je suis retourné au service dominical de Kabanga. Ses prêches sont de moins en moins évangéliques et de plus en plus nationalistes. Ses lieutenants ont abandonné le surplis blanc et ont repris le treillis militaire.

Avec Sayed, j'élabore mon projet de bistro français. « Le problème, c'est les ingrédients. » Il a raison : comment trouver des rognons de qualité et de la moutarde de Dijon, de la bavette et de l'échalote, de la saucisse de Toulouse et du confit de canard ? Ce sont des souvenirs, des souvenirs de mon père et d'un temps où je savais ce que signifiait « chez moi ».

Kabanga arrive au restaurant de Sayed et commande du riz frit avec une Mutzig. Son assurance et sa morgue me déplaisent, m'irritent, mais je ne dis rien et surtout je ne prononce pas les phrases qui culbutent dans ma tête.

(Je vous étudie depuis trois ans, monsieur Kabanga. Je crois que je vous connais mieux que votre femme qui a d'ailleurs tenté de vous tuer. Je connais la disposition des pièces dans votre maison, ce que vous mangez le matin et toutes vos habitudes alimentaires. Je connais le nom de votre tailleur et celui de votre barbier. J'ai lu votre thèse sur l'aliénation des Hema. Je connais vos ententes avec les minières et les pétrolières, vos magouilles avec les Libanais et les Rwandais. Je pourrais vous dire combien d'onces d'or et combien de carats vous avez exportés. Les chiffres sont dans ma chambre. Je sais que vous avez planté un cigare allumé dans l'anus d'un enfant qui s'appelle Josué. Je sais tout de vous et je suis venu ici pour qu'on vous juge pour ces crimes.)

Tout cela demeure enfoui dans mon cerveau. Je le regarde manger et je ne suis pas fier de moi. Il me propose une rencontre avec des amis rwandais pour discuter affaires. J'y penserai. En fait, j'en parlerai avec Marcel.

— Qui est Marcel?

— Mon conseiller, monsieur Kabanga.

Je me souviens, en le regardant partir, que jamais je n'avais associé le mot « monsieur » à Kabanga.

Message de Josué, transmis par le même petit rouquin qui demande cette fois du riz et évidemment une bière qu'il boit au goulot comme s'il avait vingt ans. Des gestes d'adulte, des gloussements d'enfant quand je le moque sur sa manière de boire comme un adulte. Il dépose un revolver sur la table. « Je ne suis plus un enfant. Faut répondre, monsieur. »

« Tou le monde est là ou presque. Nous somme un peu plus de trente. Nous avon des armes. On s'est entrainé. On tire bien, on est préparé pour agir. On a décidé en démocratie de juger Kabanga et de le condamner à mort. Tu dois nous montrer comment on fait un procès. On veut bien faire les choses. On veut juger avant de tuer, juger comme chez toi à La Haye. Tu m'as di que tu voulais la justice, tu l'aura et nous aussi. »

« Je viens quand tu veux. » Le petit répart avec ces cinq mots. Il a oublié son revolver. Il revient, l'air inquiet, je lui tends la chose avec laquelle il percera probablement les poumons d'un égaré un peu ivre qui ne veut pas donner mille francs ou d'une femme qui revient du marché après avoir vendu sa pâte de manioc et quelques tomates. Une salade de tomates. Je mangerais bien une salade de tomates et je prendrais un autre whisky. Madeleine vient s'asseoir. « Tu ne vas pas, tu vas mal. Pourquoi ? » Sayed et Madeleine me disent que je bois trop et que, si on regarde bien, le bonheur est au coin de la rue.

Il y avait cette jeune femme sur la plage de galets, le bonheur était peut-être là, à portée d'apéro. Peur d'offrir un Ricard à une inconnue qui sourit. Je suis vraiment minable. À cette heure qui vient quand le soleil tombe soudainement derrière la première colline, les bruits se font plus diffus, les véhicules plus lents et les klaxons rares. Mais tout à coup, on hurle, on crie, on rentre précipitamment dans le restaurant. Je remarque que les murs sont de plus en plus craquelés et que tout sent mauvais, la sueur, l'huile, le soya. Le monde sent mauvais. Sayed me prend par le bras et me conduit dehors. Devant l'entrée gît le corps nu de Joseph. Un corps sans nez, sans lèvres et sans sexe. Sur sa poitrine, les tueurs ont peint une croix avec son sang.

Le lézard que j'ai baptisé Marcel me regarde écrire un courriel à un ami de la Cour : « Kabanga a torturé et tué Joseph. Faites quelque chose, bordel. »

Réponse : « On ne peut rien, Claude. Kabanga, c'est fini pour nous. Bonne chance. »

Marcel dort avec moi maintenant. Il s'installe sur l'oreiller de Myriam et, quand Madeleine vient, il va se nicher au pied du lit, attend patiemment la fin de notre théâtre amoureux et il reprend sa place dès qu'elle part. Je me dis que j'ai un ami. Je ne fais pas partie de ces gens qui sont des graines de héros. Ce n'est pas la peur, plutôt une absence d'imagination à propos de moi. Ni héros, ni amoureux. Seulement amputé de la petite vie, infirme de la vie.

Depuis la mort de Joseph, Sayed tourne autour de moi,
je le sens bien. Il veut parler. Sayed me demande si je
connais la rumeur. Non, mais je sais qu'ici la rumeur est
comme le vent.

Vous savez ce que cela signifie. Vous connaissez le
vent. Impossible de le saisir, de le prendre dans ses
mains, de le contrôler, et pourtant il vous entoure, vous
habille, vous ralentit parfois. Il fait bruisser les feuilles
d'arbres silencieux, modifie le pas du marcheur qui
voûte son dos pour mieux fendre cette invisible force.
La rumeur en Afrique est une sorte de vent en pire,
comme une tempête de sable. Le vent se répand partout. On ne connaît pas l'origine du vent de la rumeur,
mais il souffle et étouffe, il rend aveugle et fou. Parfois,
souvent, il tue, provoque un conflit armé. Et quand
Sayed me parle de la rumeur, il évoque dix rumeurs
qui font trembler les habitants, qui provoquent de
nouvelles alliances, des rencontres et des palabres.
On ne sait pas d'où vient la rumeur, mais la rumeur,
me dit Sayed, a pris possession de la ville. Moi, je ne
suis plus une rumeur, je suis un fait qu'on ne comprend
pas, ce qui fait naître les rumeurs à mon sujet. Je serais

responsable de la libération de Kabanga, je suis venu pour tuer Kabanga, je suis venu pour travailler avec lui parce que j'ai perdu mon emploi à la Cour, j'aime les négresses, je suis un pervers, je veux prendre le contrôle économique de la ville. Cette importance qu'on m'accorde ne me fait pas sourire, elle m'inquiète car dans chaque rumeur réside un danger.

Et dans cette tempête de sable qui balaie l'avenue de la Libération, dans les trois restos, les petits bars maison, on parle de plus en plus d'un nouveau groupe armé. Il serait composé de jeunes et son chef serait un certain Josué. Et il se serait allié avec les Lendu pour se venger de Kabanga.

La rumeur, le vent disent qu'ils ont organisé un camp près de Bogoro. Pour voler de l'or, pour trafiquer le diamant, pour se rendre au lac Albert qui regorge de pétrole, pour taxer les biens exportés vers l'Ouganda, il faut contrôler cette bourgade traversée par trois routes qui mènent à toutes ces richesses.

« Mon père me disait que tu ne peux pas sortir la haine des cœurs qui ont cent ans. Chez moi, ici, tous les cœurs, même ceux des enfants, ont cent ans. On les nourrit d'histoires, de fables, de blessures anciennes et, sur chaque cicatrice, on peut inscrire un nom. Parfois c'est le nom de la famille, mais généralement c'est le nom d'un groupe, d'une ethnie. Il faut que tu comprennes l'importance de la tribu. C'est ce que vous appelez la sécurité sociale. Ici, la tribu est une famille et la justice n'existe pas. Pour faire simple, Kabanga prépare sa reconquête, les Lendu préparent leur défense, et tes enfants ont formé un groupe de soldats qui veulent tuer Kabanga. Toi, on sait tous que tu viens de La Haye. On le savait avant que tu arrives à Bunia. C'est comme ça, l'Afrique. Tu devrais partir, il n'y a rien de bon pour toi ici. Je te demande pardon de te parler aussi franchement, mais je te considère comme mon ami et tu sembles si seul. »

J'ai Marcel.

Madeleine se fait amoureuse. Elle a oublié les mots convenus de putain et articule des phrases de fiancée. Elle m'embrasse doucement comme une amoureuse. Nous baisons bien sûr, mais après le coït, elle s'étire langoureusement, glisse un doigt sur ma joue, pose un délicat baiser sur mon front, parle de ce que nous pourrions faire demain, m'appelle « mon amour » et cogne à ma porte le lendemain matin, apportant des fruits et parfois des fleurs. Madeleine est une occupation pour moi, elle remplit le vide. Ce n'est pas un mot qui m'effraie. Son amour apparent me dérange. Je profite, j'exploite, je jouis sans réfléchir. Elle apparaît en ce matin torride. Je n'ai pas dormi de la nuit, je pue la transpiration, je suinte. Elle porte un plateau qu'elle pose sur le lit. Deux œufs, une salade de fruits, du vrai café, pas du Nescafé. Son sourire dit qu'elle est fière d'elle, qu'elle a réfléchi, pensé à mon plaisir. Comment lui dire ? Trouver les mots qui ne blessent pas et qui me libèrent de ce malaise qui me gruge de plus en plus au fil des caresses douces qui sont des gestes d'amoureuse. « Madeleine, merci, mais je ne t'aime pas. J'ai un peu d'amitié mais rien d'autre. » Et la franchise comme le scalpel : « Je te baise, c'est tout, je te demande pardon. » Elle crie, elle hurle. Je suis pire que pire, et surtout je suis un Blanc qui exploite les Noirs. Je ne dis rien, je regarde Marcel. « Et puis, tu ne m'as jamais fait jouir. »

Elle part.

55

La Bretagne, je pense à la Bretagne en mangeant un riz qui n'est d'aucun pays. Sayed m'explique. Lui et Maïko mélangent leurs épices dans le même riz. Dit autrement, ils font continuellement l'amour, même dans le riz qu'ils parfument d'épices vietnamiennes et kurdes. Ce riz est parfumé autant de citronnelle que de curcuma et de cumin. Pourquoi la Bretagne ? Pour la mer qui me fascine, les huîtres, les visages burinés, mais surtout pour cette scène qui me hante, Isabelle et Emma que j'ai laissées partir sur la terrasse de l'Hôtel Bellevue. Je ne pense pas aux enfants, je pense à moi. C'est la première fois de ma vie que je me penche sur moi et que j'oublie les autres.

Sayed veut que je retourne chez moi et il s'inquiète, je le sens, pour sa propre sécurité. « Je n'ai pas de chez-moi, Sayed. » Parfois, je rêve de la baie de Paimpol, mais c'est un rêve sépia comme une photo nostalgique légèrement teintée de tristesse et de regret pour ces sourires que je n'ai pas suivis.

La rumeur déboule. Kabanga a reçu des armes des Chinois. Les Chinois obsèdent les Congolais, les Chinois ont remplacé les Américains dans leur imaginaire, leurs peurs et leurs espoirs confondus. La rumeur rugit. Kabanga a fait alliance avec les pétrolières canadiennes qui le financent.

Marcel prend ses aises comme s'il possédait ma chambre. Je dois définir un plan. Quatre heures devant une feuille blanche et aucune idée rationnelle, seulement des craintes, des espoirs, des sentiments. Je me perds. Nul globe terrestre sur lequel je peux pointer un doigt, pas de rapport d'experts, pas d'études complexes, seulement moi, un pays que je connais sans le vivre vraiment, une ville qui m'observe, un lézard hégémonique, d'anciennes maîtresses que je ne regrette pas.

Au cinéma, je prends une Primus, évite les regards nés de la rumeur et regarde un film de Stallone, un film complètement infantile que j'ai déjà vu trois fois. Le vide absolu peut remplacer le Prozac.

56

Josué m'a convoqué. Il m'attend car il a besoin de moi.

Le chauffeur que m'a trouvé Sayed a demandé le triple du prix normal pour me conduire à Bogoro. Dieudonné a le regard fuyant comme une couleuvre. Il argumente, invente, commerce habituel entre le riche et le pauvre. La route est dangereuse, je suis blanc et quoi encore, il y a des Rwandais qui me cherchent, j'ai violé Madeleine. Il enchaîne tous les grains de sable de la tempête de rumeurs. Je suis impuissant, il incarne la rumeur. Il conclut : « Vous êtes dangereux, comprenez, je suis marié, j'ai des enfants. » Pas d'annulaire au doigt. Je n'ai pas le choix. Amusant. Je parviens à sourire, du moins dans ma tête. Moi dangereux, moi qui ne possède que quelques idées et de moins en moins de rêves. Je crois que c'est lorsque j'ai accepté sa demande exorbitante que j'ai compris que mes rêves étaient des illusions et les idées, seulement cela, des idées. Du vent, quoi, pour ici.

« Bonjour monsieur Claude. » Josué, en moins de deux mois, a beaucoup vieilli, pas le visage, ni le corps, mais le regard froid qui trahit le sourire que dessinent les lèvres. Ils sont une dizaine au barrage, tous des jeunes. Josué indique du doigt un abri de branches et de feuilles qui sert de casemate. Mes enfants — quelle expression ridicule ! — rançonnent tous les véhicules. De l'argent, des poules, des sacs de riz, et quand un taxi-brousse s'arrête, Josué fait signe à une jeune fille de sortir du minibus. Elle est le droit de douane. Elle se laisse guider sous le petit abri et s'assoit à côté de moi. Elle n'a pas dit un mot, n'a pas protesté, comme si être la rançon des hommes faisait partie de sa vie. Josué se comporte en chef. Il donne des ordres, engueule, frappe parfois du bout de son AK-47. On le respecte. Le commerce des barrages s'éteint en même temps que le soleil. Quelques minutes de marche et nous atteignons ce qui semble dans la pénombre un camp. Quelques feux éclairent des huttes et des tentes faites de bâches de l'ONU.

Nous mangeons en silence une bouillie de manioc accompagnée de bière. Josué offre la jeune fille à un de ses compagnons. Elle ne proteste pas et le suit les épaules voûtées. Ce ne sera pas un viol puisqu'elle ne proteste pas. Il allume un joint et me le tend. Je décline. Il a laissé pousser sa barbe peut-être pour se vieillir. Il a le regard fuyant, il ordonne d'une voix ferme, il menace, il injurie tout en mangeant. Un vrai chef. Le vol de l'enfance, disent les études, crée des adultes cruels ou des adolescents permanents. « Nous sommes une centaine. » La chaleur humide, l'odeur de charbon de bois et celle des eucalyptus m'envoûtent. Le vent doux caresse et le bruissement des feuilles me rassure, comme la musique calme l'âme troublée. Je ne réponds

222

pas, j'attends, je suis disposé à comprendre la transformation de Josué. Ses cicatrices m'interdisent de porter un jugement. Pour ses camarades, c'est un chef autoritaire, pour moi, il demeure un enfant traumatisé. « D'autres viennent nous rejoindre. Avec les taxes du barrage, nous achetons des armes. Nous allons faire la justice que tu n'as pas faite. » Le tribunal est presque constitué. Tous les jeunes dans le camp sont des témoins. « Et les avocats ? » Je dis cela sans conviction. « Les coupables ne méritent pas d'avocats. Et puis tu sais bien que Kabanga est coupable. » Oui, je le sais, j'en suis profondément convaincu, c'est pour cette raison que je suis ici. « Je serai son avocat. » Josué me regarde comme si j'étais un extraterrestre. « Tu veux nous trahir ? » Je dis non, mais je sais que chaque phrase sur le droit à un procès juste, sur la nécessité d'une défense pour l'accusé est inutile. Je vais défendre Kabanga contre Josué.

57

Les enfants ont du style et de l'audace, de l'imagination et du courage. Mes enfants ont basculé dans le labyrinthe infini de la vengeance. Mes enfants! Ils ne l'ont jamais été. J'observe Josué qui donne des ordres, humilie les subalternes, fait le jars. C'est son histoire qui me relie à lui, pas sa personne. Je ne l'ai « aimé » que parce qu'il contribuait, en témoignant, au travail de la justice, de ma justice. Sa justice à lui m'effraie.

Josué m'a raconté l'enlèvement de Kabanga. Le dimanche, Kabanga officie, puis il reçoit, conseille, recueille des appuis, enrôle, conscrit, et fait une sieste en attendant que le repas du soir soit prêt. Arrivent alors les notables hema, parfois quelques Rwandais et des Libanais.

On discute du partage des futures richesses quand l'Ituri sera autonome et contrôlé par les forces de Kabanga. On boit beaucoup en organisant la prochaine guerre. Le dimanche, Kabanga permet aussi à ses gardes du corps de boire et d'écumer la ville. Le dimanche est un jour sacré, le jour du repos. L'attaque de la villa de Kabanga vers minuit ce dimanche par une trentaine d'enfants soldats et des Lendu ne fut qu'une formalité. « Ils ronflaient ou ils étaient ivres. » Josué savoure encore ce moment.

Kabanga fait le beau et l'indifférent. Cet homme est vraiment un imbécile imbu de lui-même. On nous a confinés dans la même case. Il essaie d'être amical, tente de m'expliquer son combat. « Kabanga, vous êtes une merde absolue. » Je vais tenter par principe de défendre une « merde absolue ». Je suis le dernier des cons. Kabanga ne me parle plus. Il transpire, ne mange presque pas, il sent la mort proche. Il ne prie pas, il a vendu sa croix à un gardien pour trois bières.

Je connais les arguments de la défense, j'ai consulté les quelques pièces à sa décharge. Je les énumère, les explique, sans conviction. Le juge s'amuse. Josué s'est nommé juge. Il fait parader les témoins, ses camarades enfants soldats qui racontent ce que je sais déjà. Kabanga hurle, insulte les jeunes, les traite de menteurs, puis il se met à pleurer, s'agenouille et, invoquant Dieu, « notre Dieu », il implore le pardon. Un coup de crosse sur la tempe le réduit au silence. Le sang pisse de son nez.

— Je veux maintenant interroger monsieur Claude, de la Cour pénale internationale.

Josué a ce sourire qu'on prête dans les films aux tueurs en série. Je fais donc partie de la vengeance.

— Vous connaissez bien l'accusé.

— Non, je ne le connais pas bien.

— N'avez-vous pas rédigé le dossier de l'accusation contre Kabanga quand vous étiez à La Haye ?

— J'ai analysé le dossier et fait des recommandations au procureur.

— Vous connaissez les témoignages qui accusent Kabanga. Vous avez vérifié leur crédibilité ?

— Oui.

— C'est sur la base de vos analyses et de ces témoignages que vous avez recommandé que Kabanga soit poursuivi pour crimes de guerre ?

— Oui.

Je devine la prochaine question. Je sais que tout cela n'est qu'une parodie, que Kabanga est déjà mort. Ma réponse, car je ne sais pas mentir, les disculpera à leurs propres yeux.

— Monsieur Claude, de la Cour pénale internationale, croyez-vous que l'accusé devant nous est coupable des crimes qui lui sont reprochés ?

— Oui.

Les enfants furent expéditifs. Quelques minutes après mon « oui », j'entends une rafale et des cris de joie. Je me retire dans ma case pendant que les enfants célèbrent l'événement. Josué vient m'offrir une de ses camarades. Je veux dormir, Josué, je veux dormir.

58

Sayed est bouleversé. Le fromage vietnamien est dégueulasse et la bière chaude. Il s'excuse pour la bière et me parle de la rumeur qui souffle sur la ville. J'aurais ordonné l'exécution de Kabanga. « Tu ne sors pas de l'hôtel et tu pars le plus rapidement possible. On t'aime bien, mais Maïko et moi, on ne veut pas de problèmes et tu es un problème. Et si tu es un ami, tu ne voudras pas causer de problèmes à tes amis. » Mais oui, Sayed, je suis ton ami et je vais partir. « Il y a un vol pour Kinshasa demain. » Sayed souhaite vraiment que je parte. Moi aussi. J'ai tout raté ici. En fait, je n'ai rien réussi.

Je fais mes bagages en me disant que je pourrais peut-être trouver du boulot dans la capitale. Marcel dort sur l'oreiller.

Pourquoi ai-je mis Marcel dans mon porte-documents le lendemain matin, je ne le saurai jamais. Il faut être perdu pour aimer un lézard. En guise d'adieu, Sayed dit : « Il faut que tu trouves ta maison. »

À Kinshasa, une dizaine de policiers m'attendent. Je suis accusé de complicité de meurtre, mais comme la victime est Kabanga et que je suis protégé par le ministre de la Justice, je ne suis condamné qu'à l'expulsion par le prochain vol. Paris. De Paris à la Bretagne, il n'y a que trois heures. Une maison, tu as raison, Sayed. Je dois posséder un chez-moi. Je m'installerai au Bellevue, puis je chercherai la maison. L'hôtel et le restaurant n'existent plus. L'édifice a été transformé en condos pour vacanciers fortunés. J'avais des amis ici, j'y ai des souvenirs et des regrets. Cela ressemble aux fondations d'une maison. Quelques émotions sur lesquelles on peut poser des pierres, peut-être une cheminée.

Je contemple la baie de Paimpol, me souviens de ces sourires ignorés et ratés. C'est ici que sera ma maison. Salut, Sayed, je t'enverrai des photos quand je la trouverai.

J'ai trouvé une maison. C'est à Plouézec, à cinq cents mètres de la mer que je vois un peu quand je regarde de ma chambre à coucher. Une vieille maison de pêcheur avec un petit jardin, des arbres aussi vieux que la maison. Maman trouverait le mobilier horrible. Elle aurait raison. Marcel s'acclimate bien à l'humidité bretonne. Il passe la journée à l'extérieur et rentre le soir pour dormir sur l'oreiller inoccupé. Je me suis débarrassé de la télévision. Je n'ai plus d'ordinateur. Je ne lis plus les journaux. Je regarde, je marche, je sens, je rêve (je n'ai jamais rêvé), j'imagine. J'imagine la vie avec une femme et des enfants. Je me dis que c'est ça la vie et qu'elle va peut-être me rencontrer puisque j'ignore comment la trouver.

J'écris toujours dans mes carnets que j'empile et conserve sans raison aucune. Hier, avant que la tempête ne déracine des arbres, ne décroche des tuiles du toit, ne fasse claquer les volets que je n'avais pas fermés, j'ai écrit : « Je n'ai pas raté ma vie, je suis passé à côté. » Je me suis couché avec Marcel et j'ai écouté la tempête.

Après la tempête, le froid venu du Nord arctique a figé les branches des arbres et fait se recroqueviller les feuilles. Les maisons bretonnes ne connaissent pas le froid intense et, malgré le feu qui crépite dans l'âtre centenaire, je frissonne. Puis, cinq centimètres de neige ont suivi la froidure, recouvert les champs d'artichauts et de cocos de Paimpol. La récolte sera mauvaise cet été. Les oiseaux désespèrent. Les insectes sont morts de froid et les vers se sont réfugiés dans le plus profond de la terre. La mer n'a cessé de battre la côte et de secouer les bateaux. Un chalutier a coulé. Le gris du ciel est presque noir. Je n'ai pas vu Marcel depuis trois jours. J'imagine que les lézards congolais ne supportent pas l'hiver.

Marcel est mort. Je suis triste. J'irai m'acheter un chat demain à l'animalerie de Paimpol. Je l'appellerai Miou-Miou.

Je ne veux pas mourir seul.

8 mars 2009. Il pleut.

Ce livre a été imprimé sur du papier 100 % postconsommation,
traité sans chlore, certifié ÉcoLogo
et fabriqué dans une usine fonctionnant au biogaz.

MISE EN PAGES ET TYPOGRAPHIE :
LES ÉDITIONS DU BORÉAL

CE DEUXIÈME TIRAGE A ÉTÉ ACHEVÉ D'IMPRIMER EN DÉCEMBRE 2009
SUR LES PRESSES DE MARQUIS IMPRIMEUR
À MONTMAGNY (QUÉBEC).